Jeanne de Const....... 1

Comtesse de Flandre et de Hainaut

Edward Le Glay

Alpha Editions

This edition published in 2024

ISBN : 9789357962391

Design and Setting By
Alpha Editions
www.alphaedis.com
Email - info@alphaedis.com

Contents

AVANT-PROPOS

L'histoire de Jeanne de Constantinople, comtesse de Flandre et de Hainaut, offre un mémorable exemple des vicissitudes de la fortune. Celles qu'eut à subir cette princesse, durant près d'un demi-siècle, furent, en effet, aussi diverses qu'émouvantes.

L'apprentissage du malheur commença pour elle dès l'enfance. La mort de sa mère, dans les contrées lointaines de l'Orient; la fin tragique de l'empereur Bauduin, son père, arrivée peu après, l'avaient rendue orpheline alors qu'elle n'avait pas quinze ans. Héritière des plus riches provinces de l'ancienne Gaule-Belgique, elle devint, presque aussitôt, la victime des convoitises politiques du roi Philippe-Auguste, qui l'arracha, ainsi que sa jeune sœur Marguerite, au sol natal pour la transférer à Paris, où elle resta comme en otage jusqu'à ce que les Flamands, toujours jaloux de leur indépendance nationale, obtinrent enfin qu'on leur rendît leur légitime souveraine.

Mariée, toujours au moyen d'intrigues politiques, à Fernand de Portugal, prince étranger plus aventureux que prudent et habile, les débuts de son règne furent marqués, d'abord par des luttes sanglantes qui amenèrent l'invasion de la Flandre; puis, après des alternatives diverses, par la formation de cette coalition fameuse que la jeune comtesse avait été impuissante à conjurer, et que devait bientôt anéantir la victoire de Philippe-Auguste à Bouvines.

Fernand de Portugal, prisonnier, est jeté dans la tour du Louvre, et c'en était fait de la nationalité flamande, sans le prestige que conservait toujours un peuple valeureux dont l'honneur était sauf; prestige que partageait aussi, il faut le dire, à un haut degré, par sa filiation et ses alliances de famille, la jeune princesse appelée à présider seule désormais aux destinées de la Flandre et du Hainaut.

Alors commence pour Jeanne de Constantinople le rôle actif et douloureux que lui a réservé la Providence au milieu des malheurs de sa patrie. Un double devoir lui est imposé comme femme et comme souveraine.

En vain elle implore, durant plusieurs années, avec la plus vive et la plus touchante persistance et au prix d'écrasants sacrifices, la délivrance de son époux. Le roi de France reste inflexible et menaçant.

Un autre chagrin de famille l'atteint cruellement. A la faveur des troubles de ces temps agités, sa jeune sœur Marguerite, confinée en Hainaut sous la garde de son tuteur Bouchard d'Avesnes, épouse ce dernier, et bientôt un triste mystère se révèle; l'on apprend que Bouchard a reçu les ordres dans sa jeunesse et que le mariage est sacrilège. Le scandale arrive à son comble. Jeanne implore vainement sa sœur pour le faire cesser. La papauté fulmine vainement aussi, et coup sur coup, des sentences d'excommunication. Bouchard et Marguerite, soutenus par la puissante maison d'Avesnes, se montrent inébranlables dans la résolution de maintenir une union que condamnent les lois divines et humaines. La comtesse, obligée d'user de son autorité souveraine, la voit méconnue par sa sœur et par toute la faction qui la soutient, et il en résulte des hostilités et des haines qui poursuivront la fille infortunée de l'empereur Bauduin au delà du tombeau, pour l'outrager jusque dans sa mémoire.

Mais la coupe d'amertume n'était pas pleine encore. Au moment où les déplorables dissensions causées par l'union de Marguerite de Constantinople avec un prêtre apostat poursuivaient leur cours, il survint en Flandre et en Hainaut un des plus étranges événements dont l'histoire fasse mention. Un aventurier apparaît tout à coup, en soutenant qu'il est l'empereur de Byzance Bauduin, que l'on croyait mort depuis vingt ans en Orient. La crédulité publique, si facile à émouvoir dans ces temps d'ignorance, est perfidement exploitée par les alliés et les amis de Bouchard d'Avesnes, ainsi que par plusieurs hauts barons dont la comtesse avait dû réprimer les velléités tyranniques. Elle se traduit bientôt par des manifestations populaires qui ébranlent sérieusement le pouvoir de la souveraine. Le faux Bauduin est acclamé partout où il se présente, et c'est triomphalement qu'on l'accueille dans les villes principales des deux comtés.

Jeanne, obligée de se réfugier dans le château-fort du Quesnoy, ne se laisse point abattre par ce coup de foudre. A son appel, le roi de France Louis VIII vint à Péronne. Les principaux chevaliers de Flandre et de Hainaut qui avaient accompagné l'empereur Bauduin à la croisade, y avaient été convoqués. L'imposteur, mandé en leur présence par le roi, ne put soutenir le rôle audacieux qu'il s'était arrogé, et, démasqué honteusement en public, à la grande confusion de tous ceux qui croyaient en lui ou feignaient d'y croire, il essaya par la fuite d'échapper au châtiment qu'il méritait; mais saisi peu de temps après en Bourgogne par un seigneur dont il était le serf et ramené en Flandre, cet homme, qui n'était qu'un simple ménestrel ou jongleur ambulant, fut, après jugement et la confession de son crime, supplicié à Lille.

Enfin, après plus de douze ans de captivité, le comte Fernand sort de la tour du Louvre et revient en Flandre. Une fille naît à la comtesse; elle perd cette enfant, seule consolation de ses longues infortunes, et, bientôt après, son époux lui-même lui est ravi, succombant aux suites d'une maladie dont il avait contracté le germe dans sa dure prison.

Au milieu de tant de sollicitudes et des angoisses de toutes sortes dont son existence n'avait cessé d'être abreuvée, la comtesse Jeanne ne faiblit point.

Soutenue par les plus solides vertus chrétiennes et une inébranlable fermeté d'âme, elle ne faillit à aucune des obligations que lui imposait son rôle de souveraine ou plutôt de mère de ses sujets que les contemporains et la postérité lui décernèrent en l'appelant la *bonne comtesse*.

Remariée plus tard à un prince de la maison de Savoie, et devenue par cette union tante du grand homme qui devait s'appeler un jour saint Louis, elle accomplit, jusqu'à sa mort, la mission qu'elle s'était imposée, de travailler sans relâche au soulagement des misères publiques par d'innombrables fondations pieuses dont la plupart subsistent encore; à la répression des tyrannies féodales, en même temps qu'à l'émancipation et à l'éducation de ses sujets, sources premières de la prospérité sans égale dont ils devaient bientôt jouir.

Et quand son heure dernière eut sonné, ce fut de la mort d'une sainte qu'elle mourut, enveloppée dans la simple robe de bure des novices de l'abbaye de Loos, et avec de tels sentiments de résignation et de foi que le ménologe de Cîteaux inscrivit son nom parmi ceux des bienheureux de l'ordre.

La rivalité de races qui divisait les provinces de sa domination et les passions ardentes qui régnaient alors, ont bien pu susciter des écrivains qui ont quelquefois cherché à affaiblir ses mérites ou à dénaturer ses actes; il s'est même trouvé des chroniqueurs étrangers qui ont perfidement essayé de la calomnier dans sa vie publique ou privée; mais ces obscurs diffamateurs et leurs plagiaires modernes ne sauraient ternir une mémoire qui restera toujours pure et honorée, consacrée d'ailleurs qu'elle est par la reconnaissance publique et par les monuments de l'impartiale histoire dont nous nous sommes plus que jamais efforcé, dans cette nouvelle édition, de rester le fidèle écho.

EDWARD LE GLAY.

I

Naissance de Jeanne de Constantinople.—Mort de sa mère la comtesse Marie de Champagne.—On apprend en Flandre la fin tragique de l'empereur Bauduin.—Douleur des Flamands.—Beaucoup ne veulent pas croire au trépas de Bauduin.—Jeanne et sa sœur Marguerite de Constantinople sont livrées au roi de France par leur tuteur.—Energiques réclamations et menaces des Flamands.—Les princesses sont renvoyées en Flandre.—Jeanne épouse Fernand, fils du roi de Portugal.—Arrestation du comte et de la comtesse de Flandre à Péronne, par Louis, fils du roi.—Louis les relâche après s'être emparé des villes d'Aire et de Saint-Omer.—Traité de Pont-à-Vendin.—Alliance du comte de Flandre avec le roi d'Angleterre.—Le comte refuse assistance au roi de France son suzerain.—Courroux de ce dernier.—Il dirige contre la Flandre l'expédition préparée contre l'Angleterre.—Incidents divers de la guerre.—Prise de Tournai par Fernand.—Siège de Lille—Les bourgeois rendent la ville au comte leur seigneur.—Philippe-Auguste envahit de nouveau la Flandre.—Il reprend Lille, la saccage et la brûle.—Préparatifs de la grande coalition contre la France.—L'empereur Othon à Valenciennes.—Partage anticipé de la conquête.—La comtesse Jeanne reste étrangère à la ligue et la désapprouve.—Intrigues de la reine Mathilde.—Philippe-Auguste s'avance vers la Flandre en tête de son armée.—Bataille de Bouvines.

Jeanne de Constantinople, fille aînée de Bauduin, neuvième du nom, comte de Flandre et de Hainaut et premier empereur latin de Constantinople, et de Marie de Champagne son épouse, naquit à Valenciennes en 1190[1]. Sa mère faillit mourir au moment de lui donner le jour. Elle était dans un état presque désespéré, lorsqu'à défaut de tout secours humain, le comte Bauduin eut l'inspiration d'invoquer l'assistance divine.

Il y avait alors, à la tête d'un des nombreux couvents de la ville épiscopale de Cambrai, un homme dont le renom de sainteté était universel. Il s'appelait Jean, et était abbé de Cantimpré. On racontait que de miraculeuses guérisons avaient été souvent accordées au mérite de ses prières. Le comte de Flandre l'envoya chercher. Alors eut lieu une scène touchante racontée par un chroniqueur contemporain, auteur de la vie du bienheureux Thomas de Cantimpré, dont il était l'ami. «Aussitôt que le serviteur de Dieu fut entré: «Mon Père, s'écria la comtesse, ayez pitié de mes souffrances, et mettez-vous en prière pour moi.» Touché de ses larmes, Jean se retira en sanglotant dans l'oratoire, et levant les mains au ciel: «Seigneur, dit-il, vous qui, pour châtier le péché de notre premier père, avez condamné la femme à enfanter avec douleur, et l'homme, son complice, à gagner le pain de chaque jour à la sueur de son front, exaucez nos prières, et faites que cette femme, qui se confie en votre miséricorde et vous invoque par ma voix, soit enfin délivrée des longues souffrances qu'elle endure, et qu'elle mette au monde un enfant, pour le salut et le bonheur de la patrie!»

»A peine l'homme de Dieu avait-il achevé son oraison que les chambrières de la comtesse accoururent, en grande liesse et jubilation, à la porte de l'oratoire, en annonçant au saint homme que leur dame et maîtresse venait de mettre une fille au monde, et à l'instant, les grandes dames de la cour apportent à Jean l'enfant nouveau-né, comme le fruit de ses prières. L'ami du Seigneur rendit grâces à Dieu et couvrit la petite fille de ses bénédictions. Ensuite on la porta sur les saints fonts de baptême[2], et, suivant l'ordre du comte et de la comtesse, on la nomma JEANNE, bien que personne jusque-là n'eût été appelé de ce nom dans la famille des comtes de Flandre[3].»

Cette enfant prédestinée passa ses premières années à la cour de son père, entourée de toutes les sollicitudes, et sans qu'aucun événement grave vînt troubler sa jeune âme. Mais elle avait dix ans à peine lorsqu'elle apprit qu'elle allait être bientôt privée des joies de la famille et séparée de ses parents bien-aimés. Le mercredi des Cendres de l'année 1200, le comte de Flandre et de Hainaut, à l'exemple de ses illustres prédécesseurs, les Robert de Jérusalem, les Thierri et les Philippe d'Alsace, avait solennellement pris la croix avec la comtesse Marie, sa femme, les princes de sa race et toute la chevalerie de ses Etats.

Deux ans devaient cependant s'écouler avant que les préparatifs de la croisade fussent achevés. Dans cet intervalle, le comte Bauduin avait réglé les affaires de ses Etats et celles de sa famille. Il y apporta un soin tout particulier comme s'il pressentait qu'il ne devait plus revoir ni sa patrie ni sa fille: sacrifice anticipé qui montre à quel degré d'héroïsme et d'abnégation en étaient arrivés les chrétiens d'alors, que dominait une seule et noble passion, celle d'arracher aux infidèles le tombeau du Christ.

Bauduin confia d'abord la régence des deux comtés à son frère Philippe, comte de Namur, qu'il chargea également de la tutelle de sa fille Jeanne et de l'enfant que la comtesse Marie allait bientôt lui donner, et lui adjoignit à titre de conseil un noble et preux chevalier du Hainaut, appelé Bouchard et appartenant à l'illustre maison d'Avesnes. Il fit ensuite des donations en faveur des abbayes de Saint-Bertin, de Clairmarais, de Sainte-Waudru de Mons, de Ninove, de Fontevrault, érigea des églises et des collégiales; et, ne voulant pas laisser de malheureux derrière lui, dota des hôpitaux et fit distribuer quantité de largesses et d'aumônes; après quoi il fonda un anniversaire pour le repos de son âme et de celle de sa femme.

Dans les premiers jours du printemps de l'année 1202, les croisés purent enfin quitter leurs foyers. «Sachez, dit Villeharduin, l'illustre historien de cette croisade, que maintes larmes furent pleurées à leur partement et au prendre congé de leurs parents et de leurs amis[4].» Que dire de celles que répandirent le comte et la comtesse de Flandre en serrant une dernière fois sur leur cœur Jeanne et sa sœur Marguerite qui venait de naître, frêle et précieux dépôt sur lequel reposaient toutes leurs affections et toutes leurs espérances? Combien la séparation eût été plus cruelle encore si l'on avait pu prévoir qu'elle serait éternelle, et que bientôt les deux jeunes princesses flamandes seraient orphelines!

Depuis la première croisade et le grand soulèvement des provinces du Nord qui avait si puissamment contribué à la prise de Jérusalem, l'on n'avait vu un armement aussi formidable que celui que la chrétienté avait préparé pour réparer les désastres des précédentes expéditions d'outre-mer. Ce fut donc à la tête d'une puissante armée que les princes croisés, au premier rang desquels se trouvait le comte de Flandre et de Hainaut avec toute la chevalerie et les hommes d'armes des deux comtés, se dirigèrent vers l'Orient en traversant la Bourgogne, les montagnes du Jura, le mont Cenis et les plaines de la Lombardie, pour aller s'embarquer à Venise. D'un autre côté, Bauduin avait fait équiper dans les ports de la Flandre une flotte de cinquante navires; elle emportait la comtesse Marie avec toute sa cour, de nombreux vassaux, des munitions de toute espèce, et devait rejoindre le comte à Venise ou partout ailleurs, suivant l'occurrence. Nous n'avons point à faire ici l'histoire de cette croisade; il nous suffira de rappeler que, par un concours d'événements aussi extraordinaires qu'imprévus, elle fut détournée du but primitif auquel elle tendait, et qu'arrêtée dans sa marche vers la Palestine, l'armée chrétienne était destinée à renverser l'empire grec de Byzance pour en fonder un autre au profit du comte Bauduin de Flandre, que l'unanime acclamation du peuple et de l'armée éleva sur le pavois en lui décernant la couronne de Constantin. Cette haute fortune était le prix de la bravoure éclatante et de la haute sagesse dont ce prince avait fait preuve au milieu des périls et des difficultés qui avaient précédé le siège fameux et la prise de Constantinople.

Tandis que ces grands et merveilleux événements s'accomplissaient aux rives du Bosphore, la flotte qui transportait la comtesse de Flandre accomplissait dans l'Océan la plus pénible traversée. Des tempêtes, qui durèrent tout l'été, l'empêchèrent de franchir le détroit de Gibraltar, et ce fut seulement en automne qu'elle arriva enfin à Marseille, où elle dut séjourner tout l'hiver par suite des nouvelles contradictoires arrivant d'Orient, et sans doute aussi pour réparer ses avaries. Les navires flamands arrivèrent enfin sur les côtes du Levant; mais la comtesse Marie, déjà souffrante des fatigues de la mer, subit à Saint-Jean-d'Acre les influences de l'épidémie qui y régnait, et succomba tout à la fois sous le coup du mal et de l'émotion qu'elle ressentit en apprenant l'élévation à l'empire de son illustre époux.

Les restes mortels de la nouvelle impératrice arrivant à Byzance au milieu des joies du triomphe semblaient présager une prochaine et plus grande catastrophe; et en effet elle ne se fit pas attendre.

L'empereur, à peine assis sur le trône, eut à lutter contre les princes grecs qui régnaient encore dans plusieurs provinces de l'empire, et qui, après avoir eu la lâcheté de subir le joug des Latins, cherchèrent, par les moyens les plus odieux, à s'en affranchir. Ils avaient, dans ce but, fait alliance avec Joannice, roi des Bulgares, et ce chef de barbares marcha bientôt sur Andrinople, à la tête de hordes innombrables. Bauduin, avec cette vaillance chevaleresque qu'il poussait jusqu'à la témérité, se précipita au-devant d'eux, sans calculer les chances inégales de la lutte, accompagné de son maréchal Geoffroi de Villeharduin et du comte de Blois, et suivi seulement par six cents chevaliers flamands et trois cents Français d'élite. Une effroyable mêlée s'en suivit; après des prodiges de bravoure, l'empereur, dont toute l'escorte était déjà anéantie, disparut enveloppé dans un tourbillon d'ennemis, sans que l'on pût savoir dans le moment s'il était mort, blessé ou prisonnier.

Ce désastre était arrivé le 14 avril 1205. La consternation fut d'autant plus grande qu'une incertitude affreuse régnait toujours sur le sort de l'empereur. Mille bruits sinistres circulaient à ce sujet. Les uns disaient que, fait prisonnier par Joannice, il avait été précipité du haut d'un rocher; d'autres, que le roi des Bulgares, après lui avoir fait couper les bras et les jambes, avait fait jeter son tronc dans un précipice, où il aurait encore vécu trois jours, après lesquels il serait devenu la pâture des oiseaux de proie. D'autres récits, non moins alarmants, étaient encore propagés. Henri de Hainaut, frère de l'empereur, et les chefs de l'armée s'étaient empressés de rechercher la vérité par tous les moyens possibles. Des enquêtes furent ouvertes, des émissaires envoyés partout; enfin, dans son anxiété, le frère de l'infortuné monarque supplia le pape Innocent III d'écrire à Joannice, par l'entremise de l'évêque de Trinovi, pour lui demander la liberté de l'empereur, qu'on avait conservé le faible espoir de retrouver en vie. Joannice répondit qu'il ne pouvait rendre la liberté à l'empereur, parce que déjà il avait payé le tribut à la nature[5]. Enfin un haut baron du Hainaut, Regnier de Trith, chargé, malgré cette affirmation, de recueillir encore des renseignements, déposa que des témoins, dignes de foi, lui avaient déclaré avoir vu l'empereur mort. Le doute n'était plus possible. Henri de Hainaut, frère de Bauduin, revêtit la pourpre impériale le 15 août 1206.

La fin tragique de Bauduin, suivant de si près un triomphe inouï, excita d'universels regrets. En Flandre et en Hainaut, où l'empereur était adoré et où son élévation avait flatté à un si haut degré l'orgueil national, la consternation fut profonde. Il s'y mêlait néanmoins dans les esprits des doutes et des illusions, entretenus par les bruits contradictoires auxquels avaient donné lieu, en Orient même, les circonstances d'une mort longtemps incertaine. On eut beau faire connaître la triste vérité et publier les lettres qu'Henri de Hainaut, successeur de son frère à l'empire, avait écrites pour éclairer l'opinion publique; il y eut encore parmi les populations bien des gens qui restèrent convaincus que leur souverain bien-aimé devait un jour apparaître au milieu d'eux[6]. Il en est ainsi chaque fois qu'un personnage héroïque vient à mourir loin des siens. Le vulgaire, qui n'a point vu et touché sa dépouille, reste incrédule; pour lui, tout grand homme est immortel. Cette fatale crédulité devait produire plus tard une des aventures les plus étranges de l'histoire. On en lira bientôt les émouvants et curieux détails.

Jeanne et sa sœur étaient donc orphelines. L'aînée, en vertu de la constitution féodale et de la loi d'hérédité, devenait, par la mort presque simultanée de son père et de sa mère, comtesse de Flandre et de Hainaut. C'est alors que commença pour elle, dès l'âge de quinze ans, cette existence d'épreuves douloureuses qu'elle subit durant tout le cours de son règne avec une force d'âme qui ne se démentit jamais.

Les peuples des deux comtés avaient reporté sur les jeunes princesses l'affection qu'elles avaient vouée à leur père. Malheureusement les filles de l'infortuné Baudouin ne trouvèrent pas dans leur tuteur tout le désintéressement et tout l'appui qu'elles étaient en droit d'en attendre. Philippe de Namur, homme insouciant et faible, se laissa complètement dominer par le roi de France. Le monarque attachait un grand prix à avoir la garde-noble, comme on disait alors, de Jeanne, héritière de deux belles et riches provinces, et il redoutait surtout de la voir épouser quelque seigneur anglais[7].

Philippe-Auguste séduisit le comte de Namur en lui donnant pour femme sa fille Marie, qu'il avait eue d'Agnès de Méranie, sa troisième épouse, et se fit livrer en échange Jeanne et Marguerite, qu'on enleva clandestinement du château de Gand et qu'on transporta à Paris. Cette trahison souleva l'indignation des Flamands et des Haynuiers. Ils voulurent s'affranchir de la domination de Philippe[8], et le poursuivirent de si amers reproches qu'il en tomba malade et mourut peu de temps après. Les historiens contemporains racontent que, pour expier la faute qu'il avait commise en sacrifiant sa nièce à la politique du roi de France, il voulut se confesser solennellement à quatre prélats, les abbés de Cambron, de Villers, de Marchiennes et de Saint-Jean de Valenciennes. Puis, s'il faut en croire certains chroniqueurs, l'heure de sa mort approchant, il se fit attacher une corde au cou et traîner en cet état à travers les rues et carrefours de Valenciennes, criant d'une voix lamentable: «J'ai vécu en chien, il faut que je meure en chien[9]!»

Jeanne et sa sœur n'en étaient pas moins au Louvre sous la main de Philippe-Auguste. Elles y restèrent jusqu'à ce que les Flamands les réclamèrent avec tant d'insistance que le roi crut politique de les leur renvoyer. Ils étaient, en effet, résolus à s'allier au roi d'Angleterre si le roi de France ne rendait pas leur jeune suzeraine[10]. Philippe le savait, et se vit ainsi forcé d'accéder au désir d'un peuple dont il connaissait depuis longtemps l'esprit d'indépendance et le patriotisme. Les deux orphelines revinrent donc à Bruges, où la sollicitude des Flamands veilla sur elles plus vivement que jamais.

C'est alors que, par l'entremise de la reine Mathilde, veuve de Philippe d'Alsace, fut conclu le mariage de Jeanne avec Fernand, son neveu, fils de Sanche Ier, roi de Portugal. Il paraîtrait que, pour acheter l'adhésion du roi de France, Mathilde aurait été obligée de lui payer une très forte somme d'argent et de faire en outre de riches présents à ses conseillers[11]. Philippe-Auguste s'était fait aussi promettre à l'avance, par Fernand, les villes d'Aire et de Saint-Omer, qui jadis avaient été rendues au comte Bauduin en vertu du traité de Péronne. Fernand, trop heureux d'épouser l'héritière de Flandre, avait tout promis, sans s'inquiéter s'il n'allait pas de la sorte s'aliéner ses nouveaux sujets.

Les fêtes nuptiales furent célébrées à Paris avec une magnificence extraordinaire, aux frais des bonnes villes de Flandre et de Hainaut. «On se livra, à cette occasion, dit le cordelier Jacques de Guise, à une allégresse inexprimable, oubliant cette parole du Sage: que «l'excès de la joie est voisin de la douleur[12].» Ceci se passait en 1211. Jeanne avait alors un peu plus de vingt ans. S'il faut en croire les monuments contemporains que nous avons sous les yeux[13], Jeanne était à cette époque une belle jeune fille aux cheveux longs et flottants sur les épaules. Pour tout ornement, un cercle de perles entoure sa tête. Une simple tunique l'enveloppe chastement, et elle agace du doigt le faucon qui perche sur sa main gauche à la mode du temps.

Lorsque Fernand eut prêté foi et hommage au roi, les deux époux prirent le chemin de la Flandre, comptant fermement sur l'alliance et l'amitié du monarque. Mais, arrivés à Péronne, Louis, fils du roi, qui les avait précédés en grande escorte de gens d'armes, les fit arrêter avec leur suite et enfermer dans le château de cette ville jusqu'à ce qu'il se fût emparé des villes d'Aire et de Saint-Omer, promises par Fernand. Louis prit possession des deux villes; il y massacra tout ce qu'il y avait rencontré de Flamands fidèles, les garnit de vivres et de munitions, après quoi il donna l'ordre de mettre en liberté le comte et la comtesse.

Fernand ne pardonna jamais l'odieuse violence dont sa jeune épouse et lui avaient été l'objet dans cette circonstance. Désormais ennemi mortel du roi de France, il arrivait néanmoins dans ses nouveaux Etats plus impopulaire qu'on ne saurait le dire, en raison des circonstances si fâcheuses au milieu desquelles son mariage avec l'héritière de Flandre avait débuté.

A une journée de marche de Péronne, Jeanne, qui depuis sa récente union avait éprouvé tant d'émotions diverses, tomba malade. Une fièvre violente s'empara d'elle. La reine Mathilde était en ce moment à Douai. Fernand laissa son épouse auprès d'elle, et, accompagné de Philippe, comte de Namur, de Jean de Nesle, châtelain de Bruges, et de Siger, châtelain de Gand, il se présenta aux villes de Lille, Courtrai, Ypres et Bruges, afin de s'y faire reconnaître en qualité de comte de Flandre; car l'adhésion des bourgeois et du peuple était alors non moins indispensable que celle du suzerain. Il y fut reçu froidement; les Gantois montrèrent surtout des dispositions hostiles. Ils prétendaient que l'union de cet étranger avec leur souveraine s'était conclue sans le consentement des villes flamandes, ajoutant que la comtesse avait été vendue et non mariée.

Le principal motif de leur opposition était l'odieux guet-apens dont Louis de France s'était rendu coupable envers Jeanne; et ils craignaient avec raison que Philippe-Auguste ne renouvelât, contre leur pays, ses tentatives d'envahissement. Un prince qui devenait comte de Flandre sous les auspices du roi ne devait compter que sur les antipathies des habitants de Gand, les plus fiers bourgeois du pays. Ils lui fermèrent donc leurs portes, lui déclarant qu'ils ne le recevraient pas s'il n'avait avec lui la comtesse Jeanne, leur seule dame et maîtresse. Fernand, qui ne connaissait pas encore sans doute à quel peuple il avait affaire, voulut entrer de force. Les Gantois, ayant à leur tête Rasse de Gavre et Arnoul d'Audenarde, sortirent des murs et le poursuivirent. Il eût été infailliblement pris si par hasard il ne s'était trouvé sur la Lys, entre les bourgeois et lui, un pont qu'il fit couper en toute hâte; ce qui le sauva. Dans leur colère, les Gantois s'en allèrent alors pour piller Courtrai, coupable d'avoir reconnu et hébergé le Portugais.

Fernand, on le voit, mettait le pied en Flandre pour la première fois sous de malheureux auspices. Pour faire acte de souveraineté et conquérir l'affection de ses nouveaux sujets, il aurait désiré reprendre Aire et Saint-Omer sur le fils du roi de France. Déjà même il avait fait approvisionner Lille et Douai, et il se disposait à marcher contre Louis, qui l'attendait à Arras. Les grands vassaux qui entouraient Fernand, et la comtesse Jeanne son épouse le détournèrent d'une entreprise préparée sans réflexion, dans un moment de colère, et tentée contre des forces très supérieures: on le décida, non sans peine, à négocier un accommodement avec le fils du roi, qui paraissait fort disposé à ne pas s'en tenir aux villes d'Artois qu'il venait de prendre, et à faire irruption en Flandre. Le 24 février 1211, un traité se conclut, entre Lens et Pont-à-Vendin, par lequel Fernand et Jeanne remirent définitivement et à toujours à Louis, fils aîné du roi et à ses hoirs, comme étant aux droits de sa mère Isabelle de Hainaut, les villes d'Aire et de Saint-Omer. Le fils du roi promit, de son côté, de ne jamais rien réclamer dans le comté de Flandre; et l'on donna pour otages de ces conventions mutuelles les plus hauts barons du pays, entre autres le châtelain de Bruges et celui de Gand[14].

Alors Fernand songea à se faire reconnaître des Gantois. Accompagné de la comtesse Jeanne, et suivi d'une nombreuse armée, il se présenta devant leur ville. A la vue de la jeune souveraine et de tous les chevaliers flamands qui formaient son escorte, ils ne firent plus de résistance et consentirent à recevoir les deux époux. Peu de temps après, Fernand et Jeanne se concilièrent tout à fait la puissante ville de Gand en lui accordant une nouvelle organisation municipale. Les échevins devinrent électifs par année, comme l'étaient ceux d'Ypres depuis 1209.

Cependant le traité de Pont-à-Vendin n'avait pu effacer du cœur de Fernand le souvenir de la prison de Péronne. Quand il eut pris possession de la Flandre, il résolut de mettre à exécution ses projets de vengeance contre le monarque français. En cela il était assuré de la sympathie et du concours de ses nouveaux sujets, qui depuis si longtemps nourrissaient pour Philippe-Auguste une haine qui n'était que trop motivée.

Ce fut sur Jean-sans-Terre, roi d'Angleterre, que Fernand porta naturellement ses vues. Dans l'été de 1212, il noua des relations avec ce prince, et bientôt intervint un traité d'alliance offensive et défensive, avec promesse, de la part du roi, de fournir des secours en hommes et en argent aussitôt que le comte de Flandre en aurait besoin[15].

La rupture ne tarda pas à éclater entre Philippe-Auguste et Fernand. Jean-sans-Terre avait été naguère condamné par la cour des pairs de France, à cause du meurtre d'Arthur, son neveu. De plus, le pape Innocent III venait de l'excommunier pour le punir de ses violences envers le clergé. Ses sujets avaient été déliés par le pontife du serment de fidélité; on disait même qu'Innocent offrait la couronne d'Angleterre à Philippe-Auguste. Jean appela à son aide son neveu Othon IV, roi de Germanie; or celui-ci n'était guère en mesure de le secourir. Elu empereur par la protection du Pape, Othon avait tourné ses armes contre le Saint-Siège et était aussi excommunié. Frédéric II, fils de Henri VI, couronné à sa place, s'était uni avec le roi de France. Mais si les deux monarques, déposés par le Souverain-Pontife, avaient contre eux ces puissants ennemis, ils trouvaient d'un autre côté des alliés dans les comtes de Flandre, de Hollande, de Boulogne, et autres. Ces princes, réunis dans une même communauté de haines et d'intérêts, formèrent bientôt, avec Jean-sans-Terre et Othon, une des plus redoutables coalitions dont les annales du moyen âge nous aient gardé le souvenir.

Quant à Fernand, qui de tous les mécontents n'était pas le moins courroucé, il crut le moment de la vengeance arrivé lorsque Philippe-Auguste prépara son expédition pour tenter la conquête de l'Angleterre. Le roi convoqua à Soissons un parlement de tous ses barons: ils y vinrent en foule se ranger sous sa bannière. Le comte de Flandre seul fit défaut, déclarant qu'il n'assisterait pas son suzerain, si celui-ci ne lui donnait satisfaction en lui rendant les villes d'Aire et de Saint-Omer. Philippe-Auguste ignorait encore l'alliance de Fernand avec les ennemis du royaume: il lui offrit quelques dédommagements. Le comte les repoussa avec dédain, et le roi vit bien alors que Fernand entrait en rébellion ouverte. Sur ces entrefaites, Jean-sans-Terre se réconcilia avec le Pape, et l'expédition de Philippe-Auguste, qui ne marchait que comme exécuteur des ordres du Saint-Siège, se trouva sans objet. Innocent l'avait même tout à fait interdite. Philippe aussitôt tourna toutes ses forces contre la Flandre, et cette contrée devint le théâtre d'une guerre acharnée. Telle fut la source première des angoisses patriotiques dont l'existence de Jeanne devait être abreuvée, et le prélude d'un des plus grands événements du siècle. Rappelons-en les préliminaires.

La flotte du roi de France, composée de dix-sept cents barques montées par quinze mille lances, sortit du port de Calais, et se dirigea vers les côtes de Flandre. Le roi, qui s'était avancé avec sa chevalerie jusqu'à Gravelines, y attendit ses vaisseaux, et l'armée d'invasion y stationna pendant quelques jours. Fernand, sommé par Philippe-Auguste de se rendre auprès de lui, ne parut pas. Alors Philippe pénétra en Flandre, tandis que la flotte, sous la conduite de Savari de Mauléon, mettait à la voile pour le port de Dam. «Partis de Gravelines, dit l'historien poète, Philippe le Breton, les navires, sillonnant les flots de la mer, parcoururent successivement les lieux où elle longe le rivage blanchâtre du pays des Blavotins, ceux où la Flandre se prolonge en plaines marécageuses, ceux où les habitants de Furnes, par une exception remarquable, labourent les campagnes voisines de l'Océan, et où le Belge montre maintenant ses pénates en ruines, ses maisons à demi-renversées, monuments de son antique puissance.... Sortant de ces parages, et poussée par un vent propice, la flotte entre joyeusement dans le port de Dam, port tellement vaste et si bien abrité qu'il pouvait contenir dans son enceinte tous nos navires. Cette belle cité, baignée par des eaux qui coulent doucement, est fière d'un sol fertile, du voisinage de la mer et des avantages de sa situation. Là se trouvent les richesses apportées par les vaisseaux de toutes les parties du monde; des masses d'argent non encore travaillées, et de ce métal qui brille de rouge; les tissus des Phéniciens, des Sères (Chinois), et ceux que les Cyclades produisent; des pelleteries variées qu'envoie la Hongrie, les graines destinées à la teinture en écarlate, des radeaux chargés des vins que fournissent la Gascogne et la Rochelle, du fer et des métaux, des draperies et autres marchandises que l'Angleterre et la Flandre ont transportées en ce lieu pour les envoyer de là dans les divers pays du globe[16].»

Cependant le roi de France avait envahi tout le territoire flamand, et «ses troupes se dispersaient de tous côtés, semblables aux sauterelles qui, inondant les campagnes, se chargent de dépouilles et se plaisent à enlever le butin[17].» A son arrivée devant Ypres, Fernand lui adressa des propositions de paix; car il commençait à être effrayé d'une agression si formidable et si prompte[18]. Philippe-Auguste ne voulut rien écouter. Alors Fernand, ne perdant pas courage, réunit tous ses chevaliers et le plus grand nombre d'hommes de guerre qu'il put trouver, et tint conseil sur les meilleures mesures à prendre en pareille occurrence. Déjà la ville d'Ypres s'était rendue au roi de France et lui avait livré les principaux d'entre ses bourgeois pour otages. Gand et Bruges, dont les châtelains, garants du traité de Pont-à-Vendin, avaient quitté le parti de leur seigneur pour celui du roi, imitèrent cet exemple. La Flandre presque tout entière allait tomber au pouvoir de Philippe. Fernand et ses conseillers résolurent d'envoyer en toute hâte vers le roi d'Angleterre pour en réclamer du secours.

Bauduin de Neuport, chargé de cette mission, s'embarqua aussitôt et se dirigea vers Sandwich, où il espérait trouver le roi. Il y arriva la nuit. Le roi était alors aux environs de Douvres avec le cardinal Pandolphe, légat du Saint-Siège, qui venait de conclure la réconciliation entre Jean-sans-Terre et Innocent III, et de lever l'interdit lancé contre l'Angleterre. Bauduin de Neuport monta à cheval sans délai et se rendit à toute bride vers le monarque. Il en fut très bien reçu, et le roi lui dit: «Annoncez au comte de Flandre que je l'aiderai de tout mon cœur; je vais incontinent lui envoyer le comte de Salisbury, mon frère, et le plus de chevaliers et d'argent que je pourrai[19].» Il donna en même temps aux chevaliers flamands qui étaient près de lui congé de retourner vers leur seigneur, afin de lui prêter assistance. Renaud de Dammartin, comte de Boulogne, et Hugues de Boves se trouvaient aussi au camp du roi. Ils voulurent se joindre à l'expédition.

Huit jours avant la Pentecôte, elle partit de Douvres sous le commandement de Guillaume Longue-Epée, comte de Salisbury, «lequel montait un navire si grand et si beau que chacun disait qu'il n'en existait pas de pareil[20].» On eut peu de vent durant toute la traversée; de sorte que la flotte n'aborda que le jeudi suivant en un lieu appelé la Mue, à deux lieues de Dam. Là, les chevaliers et sergents s'appareillèrent; on quitta les navires de haut bord pour entrer dans les bateaux plats, et on se précipita sur la flotte française dégarnie de troupes; car le roi de France avait imprudemment appelé près de lui la plupart des hommes d'armes qui devaient défendre ses vaisseaux. Quatre cents barques, dispersées le long de la côte, parce que le port, quoique fort vaste, ne pouvait les contenir toutes, tombèrent au pouvoir du comte de Salisbury et des chevaliers flamands; mais ils ne purent s'emparer du reste, composé de gros navires qu'on avait échoués à sec sur le rivage[21].

Le lendemain vendredi, le comte de Flandre, ayant appris la venue des secours d'Angleterre, arriva près de Dam avec une escorte de quarante chevaliers seulement. Aussitôt qu'on le vit venir, les comtes de Salisbury et de Boulogne descendirent à terre et se rendirent à sa rencontre. Dans cette entrevue, ils le requirent de rompre tout lien de vassalité et d'obéissance envers le roi de France, et de s'unir plus étroitement que jamais à la cause du roi d'Angleterre. Fernand jura, sur les reliques, qu'il aiderait toujours et de bonne foi le roi d'Angleterre, qu'il lui serait toujours fidèle et ne ferait ni paix ni trêve avec le roi de France sans son consentement et celui du comte de Boulogne[22]. Renaud de Dammartin avait juré une haine mortelle au roi de France, depuis que celui-ci l'avait expulsé de sa terre pour différentes exactions commises contre des seigneurs voisins, et notamment contre l'évêque de Beauvais, cousin du roi. Mais l'origine de sa colère, s'il faut en croire un chroniqueur, remontait plus haut.

Un jour, se trouvant dans les appartements du roi, à l'hôtel Saint-Paul à Paris, une querelle s'éleva entre lui et Hugues de Saint-Pol. Hugues le frappa du poing au visage et le sang jaillit; Renaud tira sa dague et en allait frapper le comte de Saint-Pol, lorsque le roi et les barons présents se portèrent entre les deux antagonistes. Renaud, furieux de n'avoir pu se venger, sortit du palais, remonta à cheval et regagna son pays. Le roi lui envoya bientôt après frère Garin, son conseiller, pour l'apaiser et l'engager à faire sa paix avec le comte de Saint-Pol; mais Renaud de Dammartin répondit qu'il ne pourrait oublier l'injure et la pardonner, tant que le sang qui avait coulé de son visage ne fût remonté de lui-même à sa source[23]. En conséquence, il s'était livré contre son ennemi et les parents de ce dernier à des actes de violences tels que le roi avait été obligé d'envahir le comté de Boulogne et de chasser Renaud. Le comte alors, plus que jamais irrité, s'était jeté dans le parti du roi d'Angleterre et avait, par ses intrigues, puissamment contribué à former la grande coalition que l'on connaît, et à laquelle Fernand, de son côté, venait de se vouer corps et âme.

Le samedi, veille de la Pentecôte, le comte de Flandre, le comte de Boulogne et les autres chevaliers qui avaient débarqué se levèrent de grand matin, entendirent la messe, et puis s'armèrent et montèrent à cheval pour s'approcher de Dam. A une demi-lieue de la ville, on s'arrêta pour tenir conseil et aviser aux moyens d'assaillir les murailles du côté de la terre. Robert de Béthune et Gauthier de Ghistelles s'étaient portés en avant afin de reconnaître le pays. Ayant traversé la rivière qui coule de Bruges à Dam, ils montèrent sur une éminence et regardèrent du côté de Male, château appartenant au comte de Flandre et situé aux environs de Bruges. Ils y aperçurent une grande multitude de gens et crurent d'abord que c'étaient les bourgeois de Bruges qui sortaient de la ville pour venir au-devant de leur seigneur. En ce moment une bonne femme, qui connaissait Gauthier de Ghistelles, accourut vers les deux chevaliers et s'écria tout essoufflée: «Messire Gauthier, que faites-vous ici? Le roi de France est entré avec toute son armée dans le pays, et ce sont ses gens que vous voyez là-bas[24].» Les barons rejoignirent les princes en toute hâte et leur apprirent la nouvelle. Le comte de Boulogne dit alors à celui de Flandre: «Sire, tirons-nous arrière; il ne ferait pas bon de rester ici[25].»

En effet, le roi de France, ayant connu à Gand la destruction de la flotte, accourait vers Dam avec toute son armée. Il était à peu de distance, et déjà ses arbalétriers d'avant-garde faisaient siffler leurs carreaux aux oreilles des chevaliers flamands. On essaya de leur faire résistance; ce qui donna le temps à la chevalerie française d'approcher. Grand nombre des gens du comte, qui avaient été assez téméraires pour vouloir soutenir le combat, furent tués ou jetés à la mer; plusieurs braves chevaliers tombèrent au pouvoir des Français, entre autres Gauthier de Vormezele, Jean son frère, Guillaume d'Eyne, Guillaume d'Ypres, Ghislain de Haveskerke. On dit que le comte de Boulogne lui-même avait été pris sur le rivage; mais, reconnu par des parents et des amis qui redoutaient avec raison que le roi ne lui fît un mauvais parti, on le laissa s'échapper. Il laissa au pouvoir des Français son cheval, ses armures et son heaume surmonté de lames de baleines formant deux aigrettes élancées[26]. Renaud eut le temps de gagner le grand vaisseau royal avec les comtes de Flandre et de Salisbury. Ce fut Robert de Béthune qui contraignit son maître le comte de Flandre à se jeter dans une barque. Personne ne voulut quitter le rivage avant que Fernand fût en sûreté sur le vaisseau. Les princes se dirigèrent vers l'île de Walkeren pour attendre les événements et se préparer à une nouvelle lutte[27].

En arrivant à Dam, le roi de France fit décharger les vivres et munitions de guerre existant sur les navires qui lui restaient, après quoi il mit le feu à la flotte afin de ne pas la laisser au pouvoir des ennemis, et livra aux flammes la ville elle-même et les campagnes environnantes. Il partit ensuite à la lueur de cet immense incendie, et, traversant la Flandre en exterminateur, il prit des otages dans les principales villes conquises, telles que Gand, Bruges, Ypres, Lille et Douai; rendit ceux des trois premières pour la somme de trente mille marcs d'argent, saccagea Lille à cause de l'amour que les habitants portaient au comte, leur légitime souverain, garda Douai, et rentra en France laissant derrière lui un pays en ruine et une mémoire exécrée.

La Flandre alors respira un peu. Les barons du comté s'assemblèrent à Courtrai; ceux du Hainaut vinrent à Audenarde, et tout ce qu'il y avait de Flamands capables de porter une pique accourut se ranger chacun sous la bannière de son seigneur respectif. Mais on ne savait quelle résolution prendre en l'absence du souverain, et, au milieu du trouble et de la confusion causés par les derniers événements, on ignorait de quel côté le comte Fernand avait porté ses pas après la déconfiture de Bruges.

Les barons congédièrent leurs vassaux jusqu'à nouvel ordre et chargèrent trois nobles hommes, Arnoul de Landas, Philippe de Maldeghem et le sire de

La Wœstine, d'aller à la recherche du comte. Ils se rendirent à Nieuport, où était Robert de Béthune, et lui demandèrent s'il savait quelques nouvelles des princes. Robert leur apprit qu'un pêcheur venait de lui annoncer qu'il les avait vus dans l'île de Walkeren, et le comte de Hollande avec eux. Robert de Béthune et les trois barons s'embarquèrent le lendemain de grand matin sur un petit bateau de pêche. En naviguant vers Walkeren, ils aperçurent en mer le comte de Salisbury monté sur le vaisseau royal, et escorté de sept autres navires se dirigeant vers l'Angleterre.

Arrivés en l'île de Walkeren, ils trouvèrent le comte de Flandre, Renaud de Boulogne et le comte de Hollande, qui avait amené une troupe nombreuse de gens d'armes. Fernand fit grand accueil aux chevaliers et fut bien content d'apprendre que Philippe-Auguste, après avoir brûlé ses vaisseaux, était retourné en France. On résolut aussitôt de regagner la Flandre, et deux jours après, les princes et leur armée abordaient au port de Dam. De là Fernand se rendit à Bruges, puis à Gand, qui lui ouvrirent successivement leurs portes et l'accueillirent avec joie comme leur droit seigneur[28]. A Gand, on sut que le roi, en passant par Lille et Douai, avait laissé, dans les châteaux de ces deux villes, de fortes garnisons commandées par le prince Louis et Gauthier de Châtillon, comte de Saint-Pol. Le comte de Flandre reçut même bientôt avis que le prince formait le projet de brûler Courtrai. «Or sus, seigneurs, s'écria le comte de Boulogne à cette nouvelle, montons à cheval, et courons nous enfermer à Courtrai! Si nous étions dans la ville, nous empêcherions bien qu'elle ne fût brûlée[29].»

Alors les comtes, barons, chevaliers et écuyers s'armèrent à la hâte, montèrent à cheval et sortirent de Gand. Ils passèrent par Dronghem afin de mettre la Lys entre eux et les Français. Arrivés à Deynse, ils eurent la douleur de voir les flammes et la fumée s'élever au-dessus des toits de Courtrai. Des paysans leur apprirent que la ville était réduite en cendres, que Daniel de Malines et Philippe de La Wœstine avaient été faits prisonniers en voulant la défendre, et que Louis était rentré à Lille avec toute sa troupe[30].

Le comte de Flandre, fort affligé de ce désastre qu'il n'avait pu prévenir, se dirigea vers Ypres, où les habitants, comme ceux de Bruges et de Gand, le reçurent avec honneur et empressement. Il fut décidé que l'armée prendrait position dans cette ville, qu'on fortifierait et dont on ferait un dépôt d'approvisionnements pour tout le temps de la guerre. En conséquence, on creusa des fossés larges et profonds qui furent remplis d'eau; on construisit de fortes tours en bois, des portes faites d'un mélange de pierres, de briques et de poutres en chêne; on éleva autour de la ville des haies palissadées en guise de murailles. Quand ces travaux de défense furent achevés et qu'ils furent munis de machines de toute espèce, le comte se détermina à aller assiéger la forteresse d'Erquinghem-sur-la-Lys, que Jean, châtelain de Lille, détenait pour le roi. Les Flamands ne purent jamais traverser la rivière, et après quinze jours d'un siège inutile, ils revinrent à Ypres.

Peu de jours après, on résolut de se porter sur Lille. Le prince Louis n'y était plus; mais il y avait laissé deux cents chevaliers déterminés. Après des tentatives infructueuses contre cette ville, Fernand se replia de nouveau sur Ypres. Dans la retraite, les hommes d'armes français se jetèrent sur son avant-garde et firent prisonnier Bouchard de Bourghelles, un des plus nobles et des plus valeureux chevaliers flamands[31]. Voyant que pour le moment il ne pourrait pas reprendre les villes et châteaux de la Flandre wallonne occupés par les troupes françaises, le comte songea à attaquer Tournai, qui n'avait d'autres défenseurs que ses habitants.

Cette cité s'était mise naguère sous la protection de Philippe-Auguste. Depuis lors, elle avait toujours préféré la domination du roi à celle des princes flamands, et dans toutes les occasions elle se déclarait pour les intérêts français. Fernand vint l'investir avec toute son armée. Des pierriers, des mangonneaux et autres engins lancèrent sur la ville une pluie de pierres et de feu. Chaque jour de nombreux assauts étaient livrés aux murailles; enfin, après des efforts multipliés et de grandes pertes de part et d'autre, le comte de Flandre pénétra dans la cité par une brèche de près de mille pieds de large, la saccagea, et en démolit les portes et les remparts. Les bourgeois offrirent vingt-deux mille livres au vainqueur pour qu'il consentît à ne pas brûler le reste de la ville. Fernand les accepta, fit couper une douzaine de têtes et prit soixante otages qu'il envoya au château de Gand. Huit jours après la prise de Tournai, le feu se déclara dans le Marché-aux-Vaches et consuma cinq hameaux hors des murs de la ville. A la même heure un autre incendie éclata hors de la porte de Prune, près de l'église Saint-Martin; enfin, à l'intérieur de la cité, des flammes s'élevèrent également dans le quartier appelé de Dame Odile Aletacque, dans la cour et dans le quartier Saint-Pierre, de sorte que toute la ville semblait devoir être entièrement consumée. On éteignit le feu; mais le comte Fernand, qui avait promis de ne rien incendier et avait reçu de l'argent en conséquence, entra dans une grande colère et fit soigneusement rechercher la cause et les auteurs de ce désastre. On découvrit qu'il était l'ouvrage de soldats flamands, mécontents de ce que le comte ne livrait pas la ville au pillage. Sur l'ordre du comte, huit coupables furent sur-le-champ torturés et suppliciés de la manière la plus affreuse, tandis que leurs complices prenaient la fuite. Fernand rétablit l'ordre et la paix dans Tournai[32]. Il y institua des prévôts, des jurés, des échevins, des sergents, renouvela enfin tous les officiers de la ville; car une grande partie des titulaires avaient été envoyés en otages à Gand[33].

Enhardi par le succès, le comte revint ensuite assiéger de nouveau la ville de Lille. Le prince Louis, trompé par les beaux semblants que les bourgeois lui faisaient, en avait retiré les troupes pour les ramener en France[34] et n'avait laissé qu'un petit nombre d'hommes d'armes dans un donjon, appelé le château des Regneaux, situé près des remparts et disposé de façon que l'entrée en était également libre soit de l'intérieur soit de l'extérieur de la ville. Les habitants ne demandaient pas mieux que de recevoir leur seigneur légitime et détestaient les Français en raison des maux que ceux-ci leur avaient fait souffrir. Ils ouvrirent donc leurs portes, et Fernand rentra en possession d'une ville qui devait bientôt expier cruellement son patriotisme et sa fidélité. En effet, Philippe-Auguste apprit les avantages remportés par le comte. Il n'avait jamais espéré conserver les villes de la Flandre tudesque, sur lesquelles il ne voulait qu'exercer sa vengeance; mais il comptait sur la possession de la Flandre wallonne; et la reddition de Lille, la principale des cités de ce pays, le transporta de colère. Il accourut lui-même en Flandre à la tête d'une armée formidable, et signala son arrivée par le siège de Lille. Ce fut un des épisodes les plus atroces des guerres de ce temps-là.

C'était la nuit. Le roi, dans l'impétuosité de sa fureur, avait emporté la cité avant même que les bourgeois, surpris, se fussent mis sur leurs gardes. Il n'y avait encore personne aux remparts, que déjà Philippe se répandait à travers la ville en tête de ses hommes d'armes, le fer d'une main, le feu de l'autre. Le sac et le pillage sont des moyens trop lents pour assouvir sa fureur; il lui faut l'incendie, et bientôt le feu se déroule de toutes parts. Le comte Fernand était dans Lille, malade d'une fièvre double-tierce qui le tourmentait depuis le siège de Tournai[35]. Porté sur une litière et enveloppé de tourbillons de flammes, il s'échappe à grand'peine au milieu de l'épouvante et de la fumée. Les malheureux habitants ont deux morts à choisir: ou d'être brûlés vifs entre les murs de leurs logis ou de périr au seuil sous le couteau des Français. Ce que l'action du feu épargnait, les soldats le jetaient bas au moyen de béliers et de crocs de fer dont ils étaient munis; car le roi avait juré l'anéantissement de la cité rebelle[36]. Guillaume le Breton chante fort naïvement dans sa *Philippide* les horreurs de ce siège à la louange de son maître. «Sous les décombres de leurs maisons, s'écrie-t-il plein d'admiration pour le conquérant, périssent tous ceux à qui les infirmités de l'âge ou la faiblesse du corps refusent les moyens d'échapper au danger. Ceux qui peuvent se sauver, fuyant à pied ou à l'aide d'un cheval vigoureux, évitent la double fureur des flammes et de l'ennemi, et, le cœur plein d'épouvante, s'élancent à la suite de Fernand, à travers les broussailles et en rase campagne, hors de tous sentiers, se croyant toujours près des portes fatales, n'osant tourner la tête.... La fortune, cependant, vint au secours des vaincus. La terre humide, toute couverte de joncs de marais et cachant ses entrailles fétides sous une plaine fangeuse, exhalait des vapeurs formées d'un mélange de chaleur et de liquide, de telle sorte qu'à travers les brouillards l'œil du guide pouvait à peine atteindre l'objet qu'il conduisait, et que nul ne pouvait distinguer ce qu'il y avait devant, derrière lui ou à côté de lui; une atmosphère épaisse changeait le jour en nuit. Les nôtres donc ne poursuivirent les fuyards que tant qu'ils purent s'avancer à la lueur de l'incendie de la ville; car le soleil ne pouvait luire à travers les brouillards. Ils tuèrent toutefois un grand nombre d'hommes et firent encore plus de prisonniers. Le roi les vendit à tout acheteur pour être à jamais esclaves, les marquant du fer brûlant de la servitude. Ainsi périt tout entière la ville de Lille réservée pour une déplorable destruction[37].»

Guillaume le Breton ne savait pas que, peu de jours après, les Lillois échappés à la mort revenaient, la nuit, errant sur les débris fumants de la ville, chercher au milieu de cette terre brûlante la place de leurs foyers anéantis. Il ignorait surtout que l'amour du sol natal ferait bientôt surgir de ce lieu de désolation une cité nouvelle, et que cette cité deviendrait un jour l'une des plus riches et des plus puissantes du royaume dévolu aux descendants de l'exterminateur.

Le comte Fernand s'était réfugié à Gand. Philippe-Auguste ne l'y poursuivit point et ne pénétra pas plus avant en Flandre. Il fit démolir le château-fort de Lille, abattit la forteresse d'Erquinghem dont les Flamands s'étaient dernièrement emparés, et rasa le donjon de Cassel; après quoi il rentra en France pour reconstituer son armée et préparer les moyens de défense qu'il comptait opposer à la grande coalition formée contre le royaume; car tout indiquait qu'elle était organisée et devait bientôt agir.

En effet, durant la guerre de Flandre, de nombreux messages avaient été échangés entre l'Allemagne et l'Angleterre. Dans les ports de ce dernier pays, on équipait des vaisseaux; des hommes d'armes étaient levés de tous côtés, et un grand mouvement se manifestait depuis les bords du Rhin jusqu'aux embouchures de la Meuse et de l'Escaut.

Pendant l'hiver qui suivit la dernière invasion du roi en Flandre, Fernand se rendit en Angleterre auprès de Jean-sans-Terre, son allié. Il était accompagné d'Arnoul d'Audenarde, de Rasse de Gavre, de Gilbert de Bourghelles, de Gérard de Sotenghien, et de beaucoup d'autres nobles hommes des deux comtés. Le monarque anglais vint au-devant de lui jusqu'à Cantorbéry, et lorsqu'il fut en sa présence, il descendit de cheval, lui donna le baiser de paix et d'amitié, et le reçut en tout honneur ainsi que les barons de sa suite. Le lendemain, il y eut un grand repas, puis un conseil, où furent arrêtées les dispositions de la ligue[38].

Fernand revint sans retard en Flandre, tandis que Jean-sans-Terre se disposait à s'embarquer avec une armée nombreuse afin d'envahir la France au midi de la Loire, et de seconder ainsi le mouvement des alliés vers le nord. Louis, fils du roi, avait profité de l'absence de Fernand pour s'emparer de Bailleul, Steenvoorde et de plusieurs autres places appartenant à la reine Mathilde. Le comte, avec ses auxiliaires les comtes de Boulogne, de Salisbury, et ses vassaux les plus puissants, tels que Hugues de Boves et Robert de

Béthune, se jeta en représailles sur Saint-Omer. Tous les environs furent ravagés et brûlés; la ville elle-même fut prise et livrée au pillage.

De Saint-Omer, Fernand entra dans le comté de Guines, que le prince Louis avait naguère confisqué à son profit, et dont il avait dépouillé le seigneur légitime, homme-lige du comte de Flandre. Tout fut brûlé et dévasté jusqu'aux portes de Guines. Le vicomte de Melun y commandait pour le prince. Il se tint sur la défensive et n'osa pas attaquer les Flamands. Le comte revint en son pays par Gravelines et Ypres, et peu de temps après, il reparut sous les murs du château de Guines, dont il s'empara et qu'il détruisit. Il prit et renversa de même le château de Tournehem, puis il se jeta sur l'Artois. Le village de Souchez, à trois lieues d'Arras, fut totalement détruit par lui, et toute la terre aux alentours cruellement ravagée. Il attaqua ensuite le château et la ville de Lens, dont il ne put s'emparer. Hesdin fut moins heureuse: elle tomba en son pouvoir, et il la réduisit en cendres, ainsi que son prieuré. De là il s'en vint démolir de fond en comble un château appelé la Belle-Maison, appartenant à Siger, châtelain de Gand, qui avait déserté la cause flamande pour se ranger sous le drapeau français. Il resta ensuite pendant trois semaines près des murailles d'Aire, laquelle, bien défendue par les chevaliers du roi, ne subit pas le sort des autres villes d'Artois. Les Flamands se consolèrent en exerçant mille ravages et mille cruautés dans les campagnes environnantes[39]. Ces expéditions furent comme le prélude sanglant de la guerre générale qui allait s'ouvrir.

Le fils du roi avait été rappelé en France, car Jean-sans-Terre venait de débarquer à la Rochelle, et le Poitou, la Touraine, l'Anjou et la Normandie s'étaient soulevés contre les Français. Louis marcha vers la Loire avec trois mille chevaliers et sept mille hommes de pied. Le monarque anglais avait déjà passé le fleuve, et s'était rendu maître d'Angers. Il fit une tentative sur la Bretagne; mais, battu à la Roche-au-Moine, il se replia vers le Poitou, où Louis le poursuivit.

Pendant ce temps, l'empereur Othon arrivait à Valenciennes; les princes confédérés avec leurs hommes d'armes s'y étaient donné rendez-vous. Ainsi le roi d'Angleterre et l'empereur, le duc de Brabant, les comtes de Flandre, de Hollande, de Boulogne, de Namur, de Limbourg et une multitude de seigneurs, tant des provinces belgiques et de la Lorraine que des pays d'outre-Rhin, se trouvaient désormais liés dans une même communauté d'intérêts, et cent cinquante mille hommes étaient campés autour d'eux pour appuyer leurs prétentions. L'envahissement et le partage de la monarchie française avaient été résolus.

Ce fut en l'hôtel que les princes du Hainaut possédaient à Valenciennes et qu'on nommait la Salle-le-Comte, que se fit la distribution anticipée de ce magnifique butin. Othon s'adjugea la Champagne, la Bourgogne et une partie de la Franche-Comté; le roi Jean d'Angleterre s'était contenté des provinces attenantes à celles qu'il avait déjà sur la Loire; le comte de Boulogne prit pour lui le comté de Guines et le Vermandois. Quant à Fernand, il voulait la plus grosse part; c'était l'Artois qu'il lui fallait, la Picardie, l'Ile-de-France, ni plus ni moins; sans oublier la ville de Paris, où, avant son mariage avec l'héritière de Flandre, il avait, dit-on, mené fort joyeuse vie. Pour les coalisés d'un rang inférieur, ils fractionnèrent ce qu'on voulut bien leur laisser.

Comme ces choses se passaient en Hainaut, Philippe-Auguste, ne perdant point courage, s'avançait au-devant de ses ennemis à la tête de quarante mille hommes. Ce n'était pas là toute son armée; mais, le reste, il avait fallu le laisser au fils aîné du roi, afin qu'il pût s'opposer à l'invasion de Jean-sans-Terre en Poitou. La France n'avait jamais été plus près de sa ruine. Enveloppée du réseau formidable qui semblait devoir l'anéantir, seule contre tous, elle ne perdit cependant pas le sentiment de sa force morale, instinct providentiel qui tant de fois, à l'heure du péril, sauva la monarchie. A la voix de Philippe-Auguste, tous ses vassaux avaient endossé leurs armures; les beffrois de la Picardie, de l'Artois, de l'Ile-de-France, du Vermandois, du Soissonnais, du Beauvoisis avaient appelé sous l'oriflamme de Saint-Denis trente-cinq mille de ces durs et fiers bourgeois qui, dès cette époque, secouaient déjà si rudement le joug féodal. Le lendemain de la Sainte-Marie-Madeleine, l'armée royale, prête au combat, partait de Péronne en se dirigeant vers la Flandre et le Hainaut.

Tandis que grondait l'orage, la comtesse Jeanne, isolée dans quelqu'un de ses châteaux, de Gand, de Bruges ou du Quesnoy en Hainaut, restait étrangère à la formation de la ligue et à l'exécution de ses desseins, se bornant à déplorer les maux d'une guerre qu'elle avait été impuissante à conjurer. Il n'en était pas de même de la reine Mathilde, chez qui les années n'avaient fait qu'aigrir un caractère naturellement haineux et intrigant. Après avoir été en grande faveur à la cour de Philippe-Auguste, et avoir épousé, par l'entremise de ce prince, Eudes, comte de Bourgogne, elle s'était brouillée avec le roi, et bientôt même avec son propre mari, qui vivait séparé d'elle. Revenue dans les petits Etats qui formaient son douaire, elle suscita le mécontentement de ses vassaux par des rigueurs de toute nature, et surtout par les impôts excessifs dont elle les frappait. Deux partis, connus sous le nom d'Isengrins et de Blavotins, étaient tous les jours en lutte dans la Flandre occidentale. Elle prit fait et cause pour les Isengrins, qui obtinrent d'abord quelques avantages et furent ensuite complètement battus. Mathilde fut obligée de se réfugier dans la ville de Berghes-Saint-Winoc, puis chez le comte de Guines, qui employa sa médiation pour rétablir la paix entre les deux factions que des haines et des rivalités de familles dont on ne connaît pas bien l'origine avaient soulevées.

Quand se prépara la grande ligue des princes contre la France, la vieille Mathilde y vit un moyen puissant de vengeance, et elle l'exploita avidement. Tous ses vœux étaient pour le succès de la coalition, et sa joie fut extrême lorsque les confédérés prirent enfin les armes. On dit qu'elle envoya vers son neveu le comte de Flandre quatre charrettes pleines de cordes afin de pouvoir lier tous les Français qu'on espérait faire prisonniers. Elle avait aussi consulté son astrologue, et celui-ci lui avait répondu à souhait: «Le roi tombera, et ne sera pas enseveli; Fernand viendra triomphant à Paris[40].»

Quant à la jeune comtesse, qui, depuis son mariage, n'avait eu sous les yeux que des scènes d'horreur et des images de deuil, loin de partager les orgueilleuses chimères de la coalition, elle avait, dès le principe, fait tous ses efforts pour détourner Fernand d'une entreprise qu'elle jugeait, avec raison, pleine de chances et de périls. Mais ses efforts devaient rester stériles en présence du caractère aventureux et altier du prince portugais et des engagements qu'il avait pris avec une fatale témérité.

A la douleur que Jeanne devait éprouver comme souveraine d'un pays sur lequel s'étaient accumulés tant de malheurs, se joignit en ce moment-là même un grave chagrin domestique. La jeune Marguerite de Constantinople, sa sœur, mariée en 1213 au sire Bouchard d'Avesnes, subissait les rigueurs d'une étrange destinée. Mais pour ne pas retarder le dénouement d'une série d'événements politiques que jusqu'ici nous avons fait marcher sans interruption, nous raconterons plus tard cette romanesque aventure.

Le moment était venu où la coalition si témérairement formée contre la France allait recevoir le coup foudroyant qui devait l'anéantir.

A mi-chemin de Lille à Tournai, mais un peu sur la droite en allant vers Tournai, à l'entrée d'une plaine, se trouve un petit village nommé Bouvines. La rivière de la Marque coule près de là. L'été, cette fertile campagne est, comme toutes celles de la Flandre, couverte d'une vigoureuse végétation; peu d'arbres toutefois, si ce n'est aux alentours des maisons de chaume du village et de l'église dont le clocher se montre au loin entre le feuillage; sur la Marque, à trois ou quatre traits d'arc des habitations, entre Cysoing et Sainghin, se trouve un pont rustique. La physionomie de ces lieux n'a dû guère changer depuis le 27 juillet de l'année 1214.

Ce jour-là, dimanche, le soleil s'était levé radieux à l'horizon[41], éclairant la marche d'innombrables gens d'armes qui, dès l'aube, se pressaient aux environs du pont de Bouvines. Un chevalier, séparé du gros de l'armée, les regardait passer la rivière, ce qui dura longtemps, et lorsque la majeure partie fut de l'autre côté du pont, il s'en alla vers une chapelle située non loin de là et dédiée à saint Pierre. Devant le portail s'élevait un frêne touffu. Le chevalier descendit de son destrier, se fit enlever sa lourde armure de fer, harassé qu'il était de chaleur et de fatigue; il avait chevauché depuis la pointe du jour. Haletant et poudreux, il s'étendit sur la terre à l'ombre du frêne[42]. C'était le roi de France Philippe-Auguste, et tous ces gens d'armes, les soixante-quinze mille hommes qu'il amenait au-devant des confédérés, jugeant avec raison qu'il vaut mieux porter la guerre chez les autres que de l'attendre chez soi.

En partant de Péronne, il s'était avancé jusqu'à Tournai, que les Français avaient reprise l'année précédente. Les alliés se trouvaient alors à Mortagne, entre Condé et Tournai, au confluent de l'Escaut et de la Scarpe. Impatient d'en venir aux mains, le roi aurait voulu les attaquer dans cette position; mais ses barons l'en dissuadèrent parce qu'on ne pouvait aborder l'ennemi que par des passages étroits et difficiles, la contrée étant remplie de marécages[43]. Le roi s'était donc décidé à se replier vers les plaines qui s'étendent autour de Lille, et dans ce but avait fait repasser la Marque à ses troupes.

Philippe avait eu à peine le temps de prendre un peu de repos que les éclaireurs de son armée accoururent, jetant de grands cris et annonçant l'approche de l'armée impériale. On l'apercevait du côté de Cysoing; déjà même les troupes légères d'Othon avaient un engagement avec les arbalétriers, la cavalerie légère et les soudoyers formant l'arrière-garde du roi, sous le commandement du vicomte de Melun[44].

A cette nouvelle, Philippe, déjeunant à la hâte d'un morceau de pain et d'un peu de vin[45], remonte à cheval, fait rétrograder son armée, et repasse avec elle sur la rive droite de la Marque. Comme à la bataille d'Hastings, où deux évêques dirigèrent les opérations de l'armée de Guillaume le Conquérant, l'élu de Senlis, alors nommé frère Garin, homme de conseil et homme de guerre tout à la fois[46], veilla aux dispositions préliminaires du combat, admonestant et exhortant les chevaliers et servants à se bien conduire pour l'honneur de Dieu et du roi.

Les troupes françaises prirent aussitôt position devant Bouvines, face à Tournai. Elles étendirent leur front en ligne droite sur un espace de deux mille pas environ, afin de ne pouvoir en aucun cas être tournées ou enveloppées par l'ennemi[47]. Eudes, duc de Bourgogne, eut le commandement de la droite, et deux princes du sang royal, les comtes de Dreux et d'Auxerre, celui de la gauche. Pendant ce temps Philippe-Auguste entra dans la petite église du village pour y entendre la messe.

Déjà les deux armées se trouvaient à une distance très rapprochée. Le roi se plaça à la tête de la sienne entouré des plus vaillants hommes de guerre de France, parmi lesquels on distinguait Guillaume des Barres, Barthélemy de Roye, Mathieu de Montmorency, le jeune comte Gauthier de Saint-Pol, Enguerrand, sire de Coucy; Pierre de Mauvoisin, Gérard Scropha, vulgairement appelé La Truie; Etienne de Longchamps, Guillaume de Mortemart, Jean de Rouvroy, Henri, comte de Bar, et un pauvre mais brave gentilhomme du Vermandois ayant nom Gales de Montigny. Celui-ci portait auprès du roi la bannière aux fleurs de lis d'or[48].

Quelques historiens prétendent qu'alors le roi de France, se plaçant au milieu de ses officiers, fit déposer sa couronne sur un autel, et que là il l'offrit au plus digne. Guillaume le Breton, qui se tenait derrière le roi, et vit de ses propres yeux tout ce qui se passa dans cette journée mémorable, ne parle pas de ce fait. Si la chose eut lieu, elle fut beaucoup plus simple, plus naïve, et par conséquent plus en harmonie avec les idées féodales et chevaleresques; telle enfin que la rapporte un vieil auteur français: «Quand la messe fut dite, le roi fit apporter pain et vin, et fit tailler des soupes, et en mangea une. Et puis il dit à tous ceux qui autour de lui étoient: «Je prie à tous mes bons amis qu'ils mangent avec moi, en souvenance des douze apôtres qui avec Notre-Seigneur burent et mangèrent. Et s'il y en a aucun qui pense mauvaiseté ou tricherie, qu'il ne s'approche pas.» Alors s'avança messire Enguerrand de Coucy, et prit la première soupe; et le comte Gauthier de Saint-Pol la seconde, et dit au roi: «Sire, on verra bien en ce jour si je suis un traître.» Il disoit ces paroles parce qu'il savoit que le roi l'avoit en soupçon à cause de certains mauvais propos. Le comte de Sancerre prit la troisième soupe, et tous les autres barons après; et il y eut si grande presse qu'ils ne purent tous arriver au hanap qui contenoit les soupes. Quand le roi le vit, il en fut grandement joyeux, et il dit aux barons: «Seigneurs, vous êtes tous mes hommes et je suis votre sire, quel que je soie, et je vous ai beaucoup aimés.... Pour ce, je vous prie, gardez en ce jour mon honneur et le vôtre. *Et se vos véés que la corone soit mius emploié en l'un de vous que en moi, jo m'i otroi volontiers et le voil de bon cuer et de bonne volenté.*» Lorsque les barons l'ouïrent ainsi parler, ils commencèrent à pleurer de pitié, disant: «Sire, pour Dieu, merci! Nous ne voulons roi sinon vous. Or chevauchez hardiment contre vos ennemis, et nous sommes appareillés de mourir avec vous[49].» Alors le roi sauta sur son cheval de bataille avec autant de gaieté «que s'il allait à la noce,» disent les chroniques du temps[50]. Aussitôt les trompettes sonnèrent, et Philippe-Auguste, élevant son épée, s'écria: *Montjoie*[51]! Une clameur immense lui répondit.

Il était environ midi[52]. En ce moment l'armée impériale débouchait sur le plateau de Cysoing. Depuis les invasions germaniques, jamais armée si formidable n'avait paru en Flandre. Elle semblait disposée au combat; car elle s'avançait enseignes déployées, les chevaux couverts, et les sergents d'armes courant en avant pour éclairer la marche. Au centre des lignes on apercevait un groupe compacte de chevaliers étincelants d'or et d'argent. C'était l'empereur Othon et son escorte, entourant un char traîné par quatre chevaux, où se dressaient les armes impériales. L'aigle d'or tenait dans sa serre un énorme dragon dont la gueule béante, tournée vers les Français, paraissait vouloir tout avaler, dit le chroniqueur de Saint-Denis[53]. On a prétendu aussi que le dragon était la personnification emblématique de la France prise entre les serres de la coalition. Cette orgueilleuse enseigne avait pour garde spéciale cinquante barons allemands commandés par Pierre d'Hostmar.

La personne sacrée de l'empereur fut confiée aux ducs de Brabant, de Luxembourg, de Tecklenbourg; aux comtes de Hollande, de Dortmund; à Bernard d'Hostmar, Gérard de Randerode, Pierre de Namur, et quantité d'autres chevaliers. Les deux âmes de cette grande armée étaient aux deux extrémités. A la gauche, Fernand avec les milices de Flandre, de Hainaut et de Hollande; à la droite, Renaud de Boulogne et six mille Anglais avec leurs chefs Salisbury et Bigot de Clifford, l'infanterie brabançonne, les *eschieles* ou pelotons de cavalerie saxonne ou brunsvickoise, des corps de mercenaires ou d'aventuriers ramassés en tous pays par Hugues de Boves.

«Eh quoi! s'écria l'empereur stupéfait en apercevant l'armée française en bataille dans la plaine, je croyais que les Français se retiraient devant nous, et les voilà en ligne, le roi Philippe à leur tête!»

Cette parole, prononcée d'un ton craintif, circula dans l'armée et la décontenança un peu.

Le roi Philippe disait en même temps à ses troupes: «Voici venir Othon l'excommunié et ses adhérents; l'argent qui sert à les entretenir est de l'argent volé aux pauvres et aux églises[54]. Nous ne combattons, nous, que pour Dieu, pour notre liberté et notre honneur. Tout pécheurs que nous sommes, ayons confiance dans le Seigneur et nous vaincrons ses ennemis et les nôtres.» Alors il parcourut les rangs. Quelques gens d'armes, de ceux qui jadis l'avaient suivi à la croisade, s'attristaient d'être obligés de se battre un dimanche. «Les Machabées, leur dit-il, cette famille chère au Seigneur, ne craignirent pas d'aborder l'ennemi un jour de sabbat, et le Seigneur bénit leurs armes.— Vous, l'élu de Dieu, bénissez les nôtres!» crièrent alors les gens d'armes; et l'armée entière se précipita à genoux[55].

Ces paroles du roi achevèrent de rassurer les Français; ils se relevèrent pleins de courage et de résolution. Aux cris mille fois répétés de *Montjoie! Saint-Denis!* l'étendard royal, semé de fleurs de lis d'or, fut alors déployé. L'oriflamme de Saint-Denis était réservé pour le moment suprême de la lutte[56].

A une heure et demie, la chaleur du jour était dans toute sa force. Le soleil projetait ses rayons brûlants sur les yeux des alliés marchant en ligne tirée du sud-est au nord-ouest, front à Bouvines. Les Français l'avaient donc à dos en ce moment-là. Philippe-Auguste profita de l'avantage de cette position, et sur-le-champ il donna l'ordre d'attaquer. Les buccines retentirent, et alors Guillaume le Breton et un autre clerc, qui se trouvaient près du monarque, entonnèrent les psaumes: *Béni soit le Seigneur Dieu qui exerce ma main au combat et forme mes doigts à la guerre*[57].—*Que le Seigneur se lève, et que ses ennemis soient dissipés*[58].—*Seigneur, le roi se réjouira dans votre force, et il tressaillira d'allégresse par votre assistance*[59]. Des larmes et des sanglots vinrent souvent les interrompre, tant ils étaient émus[60].

Le premier choc fut terrible. Il porta sur les Flamands placés à l'aile droite. Indignés de se voir attaqués par les milices bourgeoises de la commune de Soissons et non par des chevaliers, ils reçurent d'abord le coup sans s'émouvoir et sans s'ébranler. Mais bientôt, laissant un espace vide entre leurs rangs, le jeune Gauthier de Saint-Pol s'y précipite tête baissée, avec ses gens d'armes, frappant, tuant à droite, à gauche. Il traverse de la sorte toute l'armée flamande; puis, la prenant à dos, il la traverse de nouveau, traçant sur son passage un sillon au milieu des cadavres.

La mêlée de ce côté dura trois heures, et pendant trois heures elle fut effroyable. Il s'y passa des scènes homériques. Les chefs flamands, pour encourager leurs soldats, les haranguaient tout en frappant d'estoc et de taille, avec leurs *sharmsax* à triple tranchant[61]. Tour à tour ils parlaient des aïeux et de leurs exploits; ils parlaient des femmes, des enfants laissés au foyer domestique; puis, rappelant l'incendie de Lille et les horreurs de l'invasion française, ils appelaient la vengeance par des clameurs de mort.

Une sorte de géant, Eustache de Marquilies, chevalier de la châtellenie de Lille, se démenait avec fureur, seul, au milieu des chevaliers champenois, faisant grand carnage et s'excitant lui-même en criant: «Mort, mort aux Français!» Un Champenois lui saisit le cou par le bras, le lui serre comme dans un étau, et détache son hausse-col. Michel de Harnes, un de ces châtelains qui avaient déserté la cause flamande et qui venait d'être blessé par Eustache, voyant le cou de celui-ci à découvert, lui plonge son épée dans la gorge. Buridan de Furnes, un des plus braves et des plus joyeux compagnons d'armes du comte Fernand, allait criant dans la bataille: «Voici bien le moment de songer à sa belle[62]!»

Le vicomte de Melun et Arnoul de Guines, à l'exemple de Saint-Pol, labourant la ligne flamande par des trouées, passaient et repassaient, le fer à la main, à travers ces masses compactes. Eudes, duc de Bourgogne, commandant le corps d'armée qui attaquait les Flamands, était d'une énorme corpulence; son cheval est tué sous lui. Non sans peine, on le remet en selle sur un destrier frais. Aussitôt il tombe sur les Flamands avec une fureur nouvelle, et, pour venger sa chute et la perte de son cheval, il écrase tous ceux qu'il rencontre. Le comte Gauthier de Saint-Pol, qui le premier avait entamé les Flamands, fit des prodiges de valeur. Encore harassé de chaleur et de fatigue, après la charge qu'il venait d'opérer, il se précipita seul à la rescousse d'un homme d'armes pris au milieu d'un gros d'ennemis. Douze coups de lance tombaient à la fois sur Gauthier sans que le cheval et le cavalier en fussent ébranlés. Il enleva l'homme d'armes.

Les Flamands, de leur côté, luttaient héroïquement; mais le corps de chevaliers qui protégeait le comte Fernand commençait à s'affaiblir, et c'est sur ces chevaliers que portaient toutes les attaques[63]. Enfin on les enveloppe avec un nouvel acharnement. Fernand se bat comme un lion; deux chevaux sont tués sous lui. Couvert lui-même de blessures, il perd tout son sang. Les chevaliers flamands qui survivent essaient de le tirer de là, mais c'est en vain. Le comte alors se défend en désespéré; la terre est jonchée de corps tombés sous ses coups. Le sang coule à flots de ses blessures, et il fléchit sur les genoux. Toutefois sa bonne épée n'est pas tombée de sa main; il essaie encore de la brandir.... Enfin son œil se trouble; n'en pouvant plus et se sentant évanouir, il la rend à un seigneur français appelé Hugues de Mareuil[64].

La victoire était gagnée sur ce point, mais au centre et à la gauche un combat acharné durait encore. A l'instant même où le comte de Flandre se rendait prisonnier, le roi de France échappait au plus grand péril. Les piquiers de l'infanterie allemande, en repoussant les gens des communes de Beauvais, de Compiègne, d'Amiens, de Corbie et d'Arras, qui s'étaient rués tête baissée vers la grande aigle impériale, pénétrèrent parmi les barons de la garde du roi Philippe-Auguste. Quatre de ces Allemands, s'acharnant après le monarque français, l'avaient blessé à la gorge et tiré à bas de son cheval au moyen de leurs hallebardes à crocs[65]. Il allait périr malgré les efforts de Gales de Montigny, qui d'un bras écartait les coups et de l'autre haussait l'étendard royal en signe de détresse[66]. Arrive Pierre Tristan; descendre de cheval, se jeter l'épée à la main sur les quatre piquiers allemands, leur faire lâcher prise fut pour lui l'affaire d'un moment. Philippe-Auguste, remonté à cheval, rallia ses chevaliers et rétablit le combat. Tristan avait sauvé le monarque et peut-être aussi la monarchie.

Au moment où le roi était ainsi délivré, Eudes, duc de Bourgogne, vainqueur des Flamands sur la droite, se portait au flanc de l'armée allemande, attaquée en même temps par la chevalerie de la garde du roi. Cent vingt chevaliers tombent morts; mais la phalange impériale est ouverte: on arrive à son centre. Pierre de Mauvoisin écarte piques et hallebardes et saisit les rênes du cheval de l'empereur. En vain il cherche à l'emmener, la presse est trop grande[67]. Guillaume des Barres, se penchant du haut de son cheval, saisit la sacrée majesté à bras-le-corps, tandis que Gérard La Truie lui porte de grands coups de couteau qui ne peuvent percer le haubert. Le cheval d'Othon, dressant la tête, reçoit un de ces coups qui lui crève l'œil et pénètre jusqu'à la cervelle. L'animal, blessé à mort, se cabre et va, en dehors de la mêlée, rouler expirant dans la poussière[68]. Guillaume des Barres se précipite de nouveau sur l'empereur, et le saisissant par l'armure, il cherche entre le heaume et le cou l'endroit où il pourra plonger sa dague[69]. Mais de nombreux chevaliers saxons accourent au secours de leur maître, le relèvent et le mettent sur un cheval frais. Blessé, étourdi de sa chute, l'empereur prit le galop à travers champ, suivi du duc de Brabant, du sire de Boves et de beaucoup d'autres. «Oh! oh! fit le roi de France, voici l'empereur qui se sauve. Nous ne verrons plus aujourd'hui son visage[70].»

«Philippe-Auguste, dit un chroniqueur, n'avait jamais donné le titre d'empereur à Othon; et s'il l'appelait ainsi en ce moment-là, c'était pour avoir plus grande victoire: car il y a plus d'honneur à déconfire un empereur qu'un vassal[71].» Les Allemands sont détruits et dispersés, le char qui portait les armes impériales est mis en pièces; le dragon et l'aigle, les ailes arrachées et meurtries, sont apportés triomphalement au roi de France[72].

Mais ce n'était pas tout encore; le comte Renaud de Boulogne résistait toujours. Cependant, le corps d'Anglais qu'il commandait avait été taillé en pièces par l'évêque de Beauvais. Tandis que l'élu de Senlis, l'habile et intrépide Garin, se portait partout où besoin était, le prélat de Beauvais s'était acharné contre les Anglais. D'un coup de masse d'armes il avait abattu et pris le comte de Salisbury, frère du roi d'Angleterre, un de leurs chefs. On dit que Renaud, malgré cet échec, quitta son corps d'armée, et que, transporté de fureur, il pénétra la lance en arrêt jusqu'au roi Philippe. Il allait le frapper, mais à la vue de son suzerain il se détourna, saisi de respect ou d'irrésolution, et poursuivit sa course envers le comte de Dreux[73]. Celui-ci se tenait aux côtés du roi dont il était le cousin. Le comte Pierre d'Auxerre, également de sang royal, ne quittait pas non plus le monarque depuis le commencement de l'action. Son fils pourtant, parent de Jeanne de Constantinople par sa mère, combattait parmi les Flamands[74]. Renaud de Boulogne, revenu au milieu des siens, s'était fait avec une merveilleuse adresse un rempart de gens de pied disposés circulairement autour de lui sur deux rangs fort serrés.

Quand tout le choc de l'armée française, victorieuse sur les autres points, porta contre ce bataillon, il fut écrasé. Renaud, resté seul avec six écuyers, résolut de mourir, mais n'en vint pas à bout. Un sergent d'armes français, Pierre de La Tourelle, s'approchant de lui, enfonce sa dague jusqu'au manche dans le flanc de son destrier. Un des écuyers cherche à entraîner le cheval par la bride, mais il est renversé. Le cheval succombe, et Renaud reste la cuisse engagée sous son corps. Les deux frères Hugues et Gauthier de Fontaine et Jean de Rouvroy le tiraillent et se le disputent. Arrive Jean de Nesle, châtelain de Bruges, qui veut aussi sa part d'une si belle proie, bien que, s'il faut en croire un historien, ce transfuge du parti flamand se fût comporté peu vaillamment dans la bataille[75]. Pendant cette querelle, un varlet, nommé Commote, s'efforçait d'introduire sa pique à travers le grillage de la visière du comte afin de l'achever. L'élu de Senlis, qu'on rencontrait en tout lieu où il y avait à faire, survint. Renaud le connaissait; il se nomma, cria merci et lui tendit son épée[76]. Tel fut le dernier épisode de cette bataille célèbre.

La grande armée des confédérés n'existait plus. Du plateau de Cysoing où Philippe-Auguste s'était placé, on ne voyait de tous côtés que des débris épars et fuyants. La plaine offrait l'aspect d'un immense carnage. Au milieu de ce théâtre de confusion et de mort, un petit corps de sept cents Brabançons était seul demeuré intact et se retirait en bon ordre. Philippe, dans l'enivrement de son triomphe, le fit exterminer sous ses yeux par Thomas de Saint-Valery[77].

Ainsi se termina la bataille de Bouvines. Il était alors sept heures du soir. Les chapelains du roi de France chantaient encore, mais ils chantaient des actions de grâces.

L'un d'eux, le poétique historien des hauts faits de Philippe-Auguste, nous retrace la dernière scène de cette grande journée, telle qu'elle apparut à ses yeux et à son imagination. «Les cordes et les chaînes manquent pour en charger tous ceux qui doivent être garrottés, car la foule des prisonniers est plus nombreuse que la foule de ceux qui doivent les enchaîner. Déjà la lune se préparait à faire avancer son char à deux chevaux, déjà le quadrige du soleil dirigeait ses roues vers l'Océan.... Aussitôt les clairons changent leurs chants guerriers en sons de rappel et donnent le joyeux signal de la retraite. Alors, il est enfin permis aux Français de rechercher le butin et de ravir aux ennemis étendus sur le champ de bataille leurs armes et leurs dépouilles. Celui-ci se plaît à s'emparer d'un destrier; là un maigre roussin présente sa tête à un maître inconnu et est attaché par une ignoble corde. D'autres enlèvent dans les champs des armes abandonnées; l'un s'empare d'un bouclier, un autre d'une épée ou d'un heaume. Celui-ci s'en va content avec des bottes, celui-là se plaît à prendre une cuirasse, un troisième ramasse des vêtements ou des armures. Plus heureux encore et mieux en position de résister aux rigueurs de la fortune, est celui qui parvient à s'emparer des chevaux chargés de bagages, ou de l'airain caché dans de grosses bourses, ou bien encore de ces chars que le Belge, au temps de sa splendeur, est réputé avoir construits le premier, chars remplis de vases d'or, de toutes sortes d'ustensiles agréables, de vêtements travaillés avec beaucoup d'art par les Chinois, et que le marchand transporte chez nous de ces contrées lointaines. Chacun de ces chariots, portés sur quatre roues, est surmonté d'une chambre qui ne diffère en rien de la superbe alcôve nuptiale où une jeune mariée se prépare à l'hymen, tant cette chambre tressée en osier brillant renferme, dans ses vastes contours, d'effets, de provisions, d'ornements précieux. A peine seize chevaux, attelés à chacune de ces voitures, peuvent-ils suffire pour enlever et traîner les dépouilles dont elles sont remplies.

»Quant au char sur lequel Othon le Réprouvé avait dressé son dragon et suspendu son aigle aux ailes dorées, bientôt il tombe sous les coups innombrables des haches, et, brisé en mille pièces, il devient la proie des flammes; car on veut qu'il ne reste aucune trace de tant de faste, et que l'orgueil ainsi condamné disparaisse avec toutes ses pompes. L'aigle, dont les ailes étaient brisées, ayant été promptement restaurée, le roi l'envoya, sur l'heure même, à l'empereur Frédéric, afin qu'il apprît par ce présent qu'Othon, son rival, ayant été vaincu, les insignes de l'empire passaient entre ses mains par une faveur céleste. Mais la nuit approchait; l'armée, chargée de gloire et de richesses, rentra dans le camp, et le roi, plein de reconnaissance et de joie, rendit mille actions de grâces au Roi suprême, qui lui avait donné de terrasser tant d'ennemis[78]!»

La victoire du roi de France eût anéanti la nationalité flamande, si la comtesse Jeanne, inébranlable au milieu de la grande catastrophe qui l'atteignait, ne fut restée comme le *palladium* respecté de la patrie.

II

Nouvelle conspiration du comte de Boulogne.—Colère du roi.—Retour triomphal de Philippe-Auguste en France.—Fernand de Portugal entre à Paris garrotté sur une litière.—Il est enfermé dans la tour du Louvre.— Profonde consternation en Flandre.—Situation désastreuse du pays.— Démarche infructueuse de la comtesse Jeanne auprès du roi.—Douleur de Jeanne.—Courage et fermeté de cette princesse.—Son gouvernement.— Nouvelles tentatives de Jeanne auprès de Philippe-Auguste.—Obstination du roi à ne pas délivrer le comte de Flandre.—Habileté politique de la comtesse.—Elle affaiblit le pouvoir des châtelains, augmente les privilèges du peuple, favorise le développement du commerce et de l'industrie.— Histoire de Bouchard d'Avesnes.

Parmi tous les princes coalisés, le comte de Boulogne seul ne désespéra point de la fortune après la sanglante défaite qui venait de dissoudre la ligue formidable dont il avait été l'un des principaux instigateurs. Prisonnier du roi de France, il trouva moyen, dès le lendemain de la bataille, d'envoyer un message secret à l'empereur Othon. Il conseillait à ce prince fugitif, de rallier les débris de son armée, de se rendre à Gand et dans les principales villes du comté de Flandre, d'y réveiller l'esprit de résistance et de recommencer la guerre. Ce message n'eut d'autre résultat que d'aggraver la position de Renaud. En effet, le roi, arrivant à Bapaume, fut informé de la nouvelle conspiration de son vassal et s'en montra justement irrité. Sans délai, il se rendit au donjon où Renaud et Fernand étaient enfermés, et, s'adressant à Renaud, il lui reprocha tous ses méfaits et toutes ses trahisons en termes brefs et sévères. «Voilà ce que tu m'as fait, dit-il en finissant. Je pourrais t'ôter la vie: je ne le veux point, mais tu ne sortiras de prison qu'après avoir expié tous tes crimes[79].» Le roi le fit aussitôt saisir et garrotter par des hommes d'armes, et on l'emmena au château de Péronne, où il fut jeté dans un cachot qui put lui rappeler le souvenir sanglant de Charles le Simple. On le chargea d'entraves et de chaînes de fer si courtes, qu'à peine pouvait-il faire un demi-pas[80]. Quant au comte de Flandre, le roi jugea à propos de ne pas l'enfermer si près de son pays; et, pour l'avoir sous les yeux, il le conduisit à Paris avec la plupart des autres captifs de distinction.

Rien ne manquait donc au triomphe de Philippe-Auguste. Comme les héros de l'antiquité, il revenait traînant à sa suite ses ennemis vaincus et enchaînés. La joie que causa en France l'heureuse issue de la bataille de Bouvines fut universelle. Sur les routes, clercs et laïques allaient au-devant du roi, chantant des hymnes et des cantiques. Les cloches sonnaient partout. On dansait dans les rues; on y faisait retentir mille instruments de musique. Pas une église, pas un logis qui ne fussent tapissés de courtines, de draps de soie, jonchés de fleurs et de branchages[81]. On était alors en plein temps de moisson: les paysans, à six lieues à la ronde, quittaient leurs travaux, impatients de voir ce fameux Fernand, dont le nom était presque devenu en France un épouvantail; ils se rassemblaient sur le passage du cortège royal, leurs faucilles, leurs houes et leurs râteaux suspendus au cou[82]. Le comte de Flandre fit son entrée à Paris lié sur une litière portée par deux chevaux bai-brun, qu'on appelait alors des *auferant*. Le peuple, chez qui le sentiment national étouffe quelquefois la pitié, chantait en le voyant passer:

Ferrand portent deux auferant

Qui tous deux sont de poil ferrant.

Ainsi s'en va lié en fer

Comte Ferrand en son enfer.

Les auferant de fer ferré

Emportent Ferrand enferré[83].

Les jeux de mots étaient alors fort en vogue. Chaque fois qu'une langue se forme, on est ingénieux à lui faire subir des caprices d'imagination, des tours de force de syntaxe. Il n'en est pas qu'on n'essayât sur l'équivoque que présentait le nom du pauvre Fernand[84]. Bref, durant toute une semaine, Paris fut en fêtes; il y avait tant de lumières la nuit par les rues, qu'il y faisait clair comme en plein jour.

Tandis que l'allégresse publique se manifestait de la sorte, le noble captif gémissait enfermé par ordre du roi dans une tour très haute et très forte, nouvellement bâtie en dehors des murs de la cité, et qu'on nommait la tour du Louvre[85].

L'éclatante victoire remportée par Philippe-Auguste sur tant d'ennemis conjurés contre sa puissance paraissait devoir amener, entre autres résultats, l'anéantissement de la nationalité flamande. Il n'en fut rien pourtant; et le roi de France, comme nous l'avons dit, respecta les droits de Jeanne de Constantinople, souveraine naturelle de la Flandre et du Hainaut, protégée moins encore par le prestige de ses vertus et de son infortune que par le redoutable esprit d'indépendance nationale qui animait ses sujets. D'ailleurs, pour Philippe-Auguste, la guerre n'était pas finie; car Jean sans Terre la continuait toujours avec des chances diverses dans les provinces qu'il avait jadis envahies au delà de la Loire. Le roi de France, après avoir quelque temps joui de son triomphe, se prépara à marcher contre le roi d'Angleterre avec toutes ses forces; et la Flandre, tant de fois ensanglantée par ce prince depuis deux années, jouit enfin d'un peu de calme et de repos. Mais il y régnait une consternation profonde; son seigneur, la plupart de ses barons étaient dans les fers; les plus valeureux d'entre ses enfants avaient succombé. Il semblait qu'un si grand malheur fût à jamais irréparable.

Au premier moment, ce ne fut qu'un cri d'imprécation contre Othon l'excommunié, à qui l'on attribuait la funeste issue de cette guerre[86]. Puis l'on s'occupa du règlement des affaires intérieures. Elles offraient un lugubre tableau. La guerre avait si cruellement ravagé la Flandre dans les derniers temps, que de tous côtés, à la place d'un village, d'une église, d'une abbaye, on ne voyait plus que des murs dénudés par le pillage, noircis par les flammes, d'affligeantes ruines enfin, comme à Lille après la destruction de cette ville par Philippe-Auguste. Pour surcroît de malheur, de nouveaux fléaux tombèrent sur le pays vers la même époque. Gand, Ypres et Bruges furent presque entièrement consumées par des incendies, et quantité d'habitants y périrent étouffés. Une maladie contagieuse décima plusieurs cantons, et la mer, franchissant ses limites, inonda une partie de la Flandre occidentale[87]. Ce fut au milieu de ces calamités que Jeanne apprit le dénouement fatal de la bataille de Bouvines.

Adam et Gossuin, évêques de Térouane et de Tournai, et le seigneur Jean de Béthune, évêque de Cambrai, avaient été députés vers la comtesse, afin de lui révéler la vérité, et de l'exhorter à la résignation et au courage. Au premier moment, Jeanne, disent les chroniqueurs du temps, se livra aux sanglots et au désespoir, aussi bien que sa tante Mathilde et la jeune Marguerite; mais bientôt, raffermie par les consolantes paroles des trois évêques, la comtesse envisagea sa position d'un œil plus calme. Un grand devoir, une pénible tâche venaient de lui être dévolus par la Providence. A elle désormais à réparer les malheurs de la patrie et à lutter seule contre la fortune.

Et d'abord, il y avait à prendre une courageuse résolution. Jeanne n'hésita pas. Le vendredi, 17 octobre 1214, elle alla à Paris se jeter aux genoux du roi, le suppliant de lui rendre un époux que lui-même jadis lui avait donné. Un traité fut alors formulé, mais le prudent monarque savait qu'il était inexécutable, ou mieux, que son exécution équivalait, pour la Flandre, à un arrêt de mort. Philippe-Auguste demandait en otage, à la place du comte, Godefroi, second fils du duc de Louvain; les principales forteresses de la Flandre et du Hainaut devaient être démolies; puis, le roi verrait à rendre Fernand et les autres prisonniers flamands, moyennant une rançon fixée selon son bon plaisir[88]. Le comte de Boulogne et les vassaux de ce dernier étaient exclus du traité.

Les conseils des villes flamandes ne ratifièrent pas ce traité qui eût consacré la ruine complète du pays. Quant au roi de France, il chassa bientôt comme mauvaise et périlleuse toute pensée de transaction, et ne se départit plus un seul instant d'une obstination que rien désormais n'aurait su vaincre.

La comtesse Jeanne, désespérant de fléchir le roi, était revenue en ses domaines. «La fille de l'empereur d'Orient vivait simplement et dans le deuil, dit le cordelier Jacques de Guise. Pratiquant la dévotion et l'humilité, s'appliquant aux œuvres de miséricorde, occupée à fonder et à réparer des hôpitaux et des églises, elle passait honorablement et sans reproche les années de sa jeunesse au milieu des tribulations et des angoisses[89].»

Son esprit, fortifié par l'infortune, s'éleva bientôt à la hauteur du rôle qu'elle devait désormais remplir seule. Elle en comprit toute l'importance, et se montra la digne descendante de son père et de son aïeul, ces princes législateurs du Hainaut, chez qui la noblesse du sang et la bravoure n'excluaient pas l'habileté politique. La jeune comtesse trouva, il est vrai, un puissant concours dans la sympathie de ses sujets et dans le sentiment national, que les malheurs de la patrie avaient encore ravivés.

En Flandre et en Hainaut, plus que partout ailleurs à cette époque, la fusion du principe municipal avec le système féodal avait produit une administration, sinon très régulière, du moins libérale et forte. C'était comme une grande famille unie par les liens d'une hiérarchie bien tranchée. La comtesse avait son bailli, sorte de ministre responsable, représentant ordinaire du souverain dans toute espèce de juridiction; puis, un conseil d'hommes sages qu'elle consultait quand il s'agissait d'un acte politique quelconque[90]. La cour suprême féodale, formée des hauts barons des deux comtés, statuait sur les affaires d'administration générale, en prenant toutefois l'adhésion du magistrat des bonnes villes dont l'assemblée portait le nom d'échevins de Flandre et de Hainaut. Ces états aidaient la comtesse et la dirigeaient en ses résolutions. Mais Jeanne, on en trouve souvent la preuve, conservait sur eux une très haute influence qu'elle puisait dans la sagacité naturelle de son esprit, dans sa fermeté de caractère, dans l'exemplaire austérité de sa vie publique et privée.

Au milieu des graves préoccupations du pouvoir, la comtesse de Flandre n'oublia jamais un seul instant qu'elle avait, comme épouse, un grand devoir à remplir, et elle le remplit tant que dura la captivité de Fernand. Chaque année, sans se laisser décourager par les refus obstinés du roi de France, elle faisait de nouvelles tentatives pour tirer son mari de la tour du Louvre, empruntant à des taux énormes les sommes destinées à la rançon de son mari[91]. Elle employa aussi l'entremise du pape Honorius, puis celle du cardinal-légat, puis enfin celle des évêques de Cambrai, de Tournai et de Térouane; ce fut toujours en vain. Chaque fois, les négociateurs trouvèrent Philippe inébranlable[92].

Soit qu'il s'agisse d'administration intérieure, soit qu'il s'agisse d'affaires diplomatiques, on la trouve toujours pleine d'habileté et de résolution. En voici la preuve. On sait que les comtes de Flandre n'étaient pas seulement grands vassaux et pairs du royaume de France, mais qu'ils relevaient aussi, pour certaines portions de pays, de l'empereur d'Allemagne. Il paraît qu'au milieu des préoccupations dont elle avait toujours été accablée, Jeanne négligea de prêter foi et hommage à l'empereur, ainsi que le devaient faire les comtes de Flandre à leur avènement. Sous ce prétexte, Frédéric II confisqua la Flandre impériale dans une diète solennelle tenue à Francfort en 1218.

C'était une très grave affaire en ce qu'elle devait, un jour ou l'autre, rallumer la guerre en Flandre, car l'empereur avait concédé à Guillaume, comte de Hollande, les parties qui relevaient de l'empire. A chaque instant, ce dernier pouvait chercher à prendre possession des nouveaux domaines qu'on venait de lui octroyer. Jeanne déploya, dans cette circonstance délicate, tant d'habileté, qu'en définitive la chose tourna même à son profit. Deux ans ne s'étaient pas écoulés que l'empereur annulait la confiscation, en reconnaissant que les chemins étaient trop périlleux pour que la jeune femme eût pu se rendre en Allemagne pendant la captivité de son mari; qu'ainsi elle était excusable de n'avoir pas rendu son hommage[93], etc. L'année suivante, en 1221, son fils Henri VII faisait plus encore. En déclarant de nouveau rapportée la sentence de 1218, en confirmant la comtesse dans la possession des fiefs impériaux, il forçait le comte de Hollande à subir et à reconnaître derechef sa dépendance de la Flandre[94].

Une pensée prédomine dans toute la conduite politique de Jeanne relative au gouvernement de ses domaines; c'était d'accroître le pouvoir municipal, et par là de contre-balancer l'influence des hauts barons qui commençait à se montrer plus menaçante que jamais. L'omnipotence des châtelains surtout devenait très dangereuse pour le peuple et pour le souverain. Sans parler des violences et des rapines qu'on leur avait reprochées de tout temps, ils avaient trouvé moyen de s'affranchir tellement de la domination du comte lui-même, qu'à la bataille de Bouvines on en vit combattre audacieusement parmi les chevaliers de l'armée française. C'était là un révoltant abus. Jeanne mit tout en œuvre pour le réprimer, et si elle ne parvint pas tout à fait à anéantir l'influence des châtelains, elle l'amoindrit beaucoup.

En 1218, elle donnait à la ville de Seclin la même charte d'affranchissement dont jouissait déjà la ville de Lille, charte très sage et très libérale qui devait singulièrement atténuer l'importance du châtelain de cette dernière ville[95]; et, en même temps, elle négociait avec le connétable de Flandre, Michel de Harnes, l'échange de la châtellenie de Cassel[96]. Un peu plus tard, en 1224, elle se fit vendre par Jean de Nesle, pour 23,545 livres parisis, la châtellenie de Bruges, l'une des plus considérables de Flandre[97]. La comtesse eut même à ce sujet, avec Jean de Nesle, un procès fameux qui fut vidé à Paris devant la cour des pairs du royaume, Jeanne ne pouvant être jugée que par cette cour, en vertu des lois de la hiérarchie féodale. Lorsque son procès fut gagné contre le châtelain, elle institua à Bruges la fête du Forestier, destinée à perpétuer le souvenir d'un événement qui consacrait l'affranchissement de cette belle cité. La prospérité de Bruges, comme celle des principales villes flamandes, du reste, ne prit le développement considérable qu'elle acquit au moyen âge qu'à partir de la disparition des châtelains, ou du jour que ces despotes perdirent le pouvoir exorbitant qu'ils s'étaient arrogé et dont ils avaient trop longtemps abusé.

Ainsi, tandis qu'elle travaillait à l'affaiblissement d'une aristocratie si souvent envahissante et despotique, la comtesse de Flandre augmentait le bien-être des bourgeois et du peuple. Les droits politiques d'un grand nombre de communes dans les deux comtés avaient été consacrés et reconnus par ses prédécesseurs ou par elle. Elle ne s'en tint pas là; elle voulut aussi favoriser de tout son pouvoir le commerce et l'industrie. En mai 1233, Jeanne confirme le privilège que Philippe, comte de Flandre et de Vermandois, son grand-oncle, avait accordé à l'abbaye de Saint-Bertin, d'établir un marché à Poperingue et d'y faire construire un canal[98]. Dans l'année 1224, on la voit affranchir de toutes charges, tailles et exactions, les cinquante ouvriers qui viendront s'établir à Courtrai pour y travailler la laine[99]; de sorte qu'on peut dire que c'est à Jeanne que les fabriques de cette ville doivent, sinon leur naissance, du moins les premiers éléments de leur prospérité.

Au milieu de ses douleurs patriotiques causées par la guerre et de ses incessantes sollicitudes pour réparer les maux de la patrie et améliorer le sort de ses peuples, nous avons dit qu'un profond chagrin domestique était venu l'accabler. Rappelons-en les causes.

L'on a vu qu'au moment de partir pour la croisade, le comte Bauduin avait confié à son frère, Philippe de Namur, la régence de ses Etats en même temps que la tutelle de ses deux jeunes filles, en lui adjoignant comme conseil un puissant seigneur du Hainaut appelé Bouchard. Ce personnage devait jouer un rôle funeste dans la vie, déjà si tourmentée, de la comtesse Jeanne, et le moment est venu de le mettre en scène.

Dans les dernières années du douzième siècle, vivait à la cour du comte de Flandre, Philippe d'Alsace, un jeune enfant appartenant à cette illustre maison d'Avesnes dont la renommée brilla du plus vif éclat dès les premières croisades. Il était le troisième fils de Jacques d'Avesnes qui, à la bataille d'Antipatride, le 7 septembre 1191, mutilé, haché, par les Sarrasins, brandissait encore son épée du seul bras qui lui restait, et criait expirant à Richard Cœur de Lion: «Brave roi, viens venger ma mort!» Cet enfant était Bouchard.

Suivant la coutume de l'époque, il devait passer le temps de sa jeunesse auprès du souverain, afin de se former parmi les barons et les dames aux nobles usages de la chevalerie. Sa charmante figure, ses heureuses dispositions d'esprit lui concilièrent l'affection du comte et de sa femme Mathilde. Ils n'avaient pas d'enfants et reportèrent sur Bouchard toutes leurs affections. La famille du seigneur d'Avesnes comptait assez d'hommes de guerre. L'on songea que Bouchard, avec ses bonnes et précoces qualités, pourrait aspirer aux premières dignités ecclésiastiques. On le mit aux écoles de Bruges, mais Bouchard n'y resta pas longtemps. Ses progrès dans l'étude devenaient si rapides que son maître conseilla à la reine Mathilde de l'envoyer à Paris[100].

Nulle part les sciences de l'époque, la philosophie scolastique et la jurisprudence n'avaient de plus profonds interprètes, des adeptes plus zélés qu'à l'université de cette ville. Les ténèbres de la barbarie se dissipaient. Un irrésistible besoin de savoir s'était emparé des esprits d'élite, et l'on cherchait avec passion la vérité, jusque dans les subtilités de la dialectique, jusque dans les abstractions du droit, jusque dans les spéculations de l'astrologie. Il n'y avait pas longtemps que les saint Bernard et les Pierre de Blois étaient morts, mais leur génie se revivifiait chez leurs disciples. Parmi eux et au premier rang, brillait un illustre Flamand, Alain de Lille, surnommé par l'admiration de son siècle le *docteur universel*.

Bouchard, s'inspirant de si glorieux modèles, s'adonna aux travaux d'esprit avec le zèle d'un plébéien, scrutant, approfondissant les questions les plus ardues de philosophie naturelle et morale. Le grand seigneur avait disparu: absorbé par l'étude, Bouchard l'écolier ne songeait plus au luxe, à la richesse dont le comte de Flandre avait voulu entourer le fils de Jacques d'Avesnes pendant son séjour à Paris; il oubliait qu'il était l'enfant de toute une lignée de héros, que ces héros n'avaient jamais manié que la lance et l'épée.

Bientôt Paris même ne suffit plus à l'insatiable avidité d'apprendre qui tourmente Bouchard. L'école d'Orléans florissait par ses professeurs en jurisprudence ecclésiastique et civile. Il s'y rend. Bachelier, puis enfin docteur et professeur lui-même en droit civil et canon, on le pourvoit d'une prébende et d'un archidiaconé en l'église Notre-Dame de Laon[101]. Peu après, le comte Philippe lui obtient une autre prébende à la trésorerie de la riche église de Tournai. De semblables dignités, à cette époque, n'exigeaient pas toujours qu'on fût dans les ordres pour en être investi. Néanmoins les deux églises exigèrent qu'il reçût les ordres sacrés, et il fut ordonné acolyte et sous-diacre à Orléans à l'insu de tous ses amis.

C'est ainsi qu'un chroniqueur contemporain retrace cette première phase de la vie de Bouchard; puis il ajoute: «De retour en Flandre, il se comporta à la guerre non comme un chanoine, mais comme un chevalier et un baron. Dans les guerres que la Flandre eut à soutenir contre ses ennemis, il déploya tant de bravoure que sa renommée surpassa bientôt celle de tous les seigneurs des contrées voisines. Alors il abandonna tout à fait ses prébendes et renonça à l'état ecclésiastique pour ne plus songer qu'à la gloire des armes.... Il se distinguait également par ses mœurs et ses vertus héroïques, par sa stature et son adresse dans les exercices du corps, par la force de ses membres, sa vigueur, sa grâce et par une foule d'autres qualités.... Dès qu'il fut sorti des écoles, il devint le principal conseiller tant du comte et de la reine Mathilde que des bonnes villes et des communautés, car son intelligence était supérieure à celle de tous les autres. Quoique son patrimoine fût modique, il amassa de grands biens. Il ne voulait pas seulement tenir le rang d'un chevalier, il aspirait à celui d'un grand prince. Il avait auprès de lui plus de chevaliers, de seigneurs, d'écuyers et de vassaux, que la reine elle-même; et quoiqu'il eût beaucoup d'envieux, il était accueilli avec les plus grands honneurs partout où il se présentait[102].»

En effet, dans les guerres de Flandre sous le comte Bauduin, Bouchard, laissant ses livres, avait repris l'épée de ses ancêtres. Il y fit des prodiges: sa réputation de valeur grandissait à l'égal de celle que, malgré son jeune âge, il s'était acquise comme homme de sagesse et d'expérience. Richard Cœur de Lion tressaillit d'orgueil quand il apprit que Jacques d'Avesnes, cet ami mort si intrépidement sous ses yeux aux champs d'Antipatride, avait un fils digne de lui. Il ne voulut pas que d'autres mains que ses mains royales armassent Bouchard chevalier; il le combla de faveurs, et lui donna en Angleterre de grands biens et revenus[103].»

Au commencement du siècle, le comte partit pour la croisade. Bauduin IX, on l'a vu, emmenait avec lui tout ce que la Flandre et le Hainaut possédaient d'hommes de guerre et d'hommes de conseil. Il voulut qu'au moins une tête solide restât dans le pays pour le gouverner, qu'une main sûre gardât le trésor qu'il y laissait. Il ne se fiait pas trop d'ailleurs en son frère Philippe de Namur, qui, de fait et de droit, devait être ce qu'on appelait alors *bail et mainbour* des deux comtés pendant l'absence du souverain et la minorité de ses filles. Bouchard lui fut adjoint, comme nous l'avons dit plus haut, en qualité de conseil et n'alla pas en Palestine.

On sait comment Philippe de Namur, trompant tout le monde, livra ses nièces au roi de France; on sait aussi que, sur les instances des habitants de Flandre et de Hainaut, Philippe-Auguste renvoya Jeanne et Marguerite à Bruges. Bouchard mit le comble à sa popularité, en dirigeant et en menant à bien cette négociation. Mais déjà le mariage de Jeanne avec Fernand était décidé. Il se fit, et l'on dut s'occuper de la jeune Marguerite, alors âgée d'environ dix ans.

Laissons encore ici un chroniqueur de l'époque prendre la parole; son langage naïf et plein de bonne foi nous semble fidèlement retracer les circonstances dans lesquelles se conclut le mariage de Bouchard avec Marguerite.

«Lorsqu'il fut arrêté d'un commun accord, entre les rois de France, les parents et les amis des princesses et les conseils des bonnes villes, que Jeanne, l'aînée, serait donnée en mariage à Fernand, fils du roi de Portugal, on décida que la jeune Marguerite, sa sœur, accompagnée de cinq des plus nobles dames de la Flandre, et d'une suite convenable, serait confiée, jusqu'à l'âge nubile, à Bouchard d'Avesnes, qui passait pour le plus prudent chevalier de ce temps, et qu'il serait assigné à cette princesse une pension de trois mille livres, monnaie courante, sur les revenus de la Flandre et du Hainaut. Bouchard refusa d'abord respectueusement, et avec autant de crainte que de prudence, la charge qui lui était imposée. Mais après de mûres réflexions, il se soumit à ce qu'on exigeait de lui, et fit approvisionner et disposer sa maison avec toute la magnificence convenable. Il reçut donc chez lui, avec les dames qui l'accompagnaient, la princesse Marguerite pour l'élever dans les bonnes mœurs et selon les principes de l'honneur, comme il convenait à la fille du grand empereur et du noble comte Bauduin.

»La demoiselle Marguerite vécut ainsi longtemps avec ses femmes pieusement et honorablement, et passa doucement les jours que Dieu lui accordait dans la dévotion, l'humilité et la pratique de toutes les vertus, selon le devoir d'une fille bonne et courageuse. Beaucoup de seigneurs prétendaient à sa main; les uns adressaient leur demande à Bouchard, les autres à la reine Mathilde. Le roi de France la fit aussi demander pour un de ses chevaliers qui était de son sang et du pays de Bourgogne; mais les Flamands n'y voulurent pas consentir. Le comte de Salisbury la recherча également pour son fils aîné; les Flamands apprirent que le jeune prince était boiteux, et repoussèrent ce dernier prétendant.

»On rapporte que Mathilde dit un jour: «Bouchard propose au conseil de Flandre et à moi divers partis pour notre fille, et il ne parle pas pour lui-même.» Une des dames de la reine, ayant entendu ces paroles, les rapporta à Bouchard. Ce seigneur, après y avoir mûrement réfléchi, résolut de faire part à ses amis et principalement à Gauthier d'Avesnes, son frère, de ce qui se passait, et d'attendre à ce sujet l'avis des personnes de qui dépendait cette affaire. Ses amis, qui ignoraient absolument ce qui le rendait incapable de se marier, lui répondirent que sur une matière aussi grave ils ne pouvaient lui donner aucun conseil avant qu'on ne connût la volonté de la reine; mais que si cette princesse y consentait, il serait facile d'obtenir ensuite l'agrément des bonnes villes et de la noblesse. Enfin Bouchard s'adressa en tremblant à la reine et lui fit part de son dessein, en lui demandant conseil et appui. La reine fixa un jour pour lui faire réponse, et, en attendant, elle prit l'avis de son conseil et de celui des bonnes villes de Flandre, exposant que Marguerite avait été demandée en mariage par le roi de France, par les Anglais et par plusieurs chevaliers de diverses nations; mais que, comme l'expatriation de la princesse pourrait devenir, par la suite, préjudiciable et dangereuse pour le pays, il valait mieux la marier à un seigneur d'un rang moins élevé, mais habitant le pays et pouvant ainsi lui être utile par ses conseils et par sa puissance, que de la voir emmener au dehors par un étranger. Ensuite la reine conclut en disant: «Nous avons dans ce pays tel chevalier qui est de sang royal, et il a fait demander Marguerite en mariage.» Les conseillers, après avoir entendu la déclaration de la reine, reçurent jour pour en délibérer. Ils assemblèrent la noblesse de Flandre et de Hainaut, ainsi que les conseils des bonnes villes; et après plusieurs délibérations, ne connaissant point les empêchements de Bouchard, ils furent d'avis qu'il était plus avantageux de marier la princesse avec un seigneur demeurant en Flandre et en Hainaut, qu'avec un étranger et surtout un Français qui pourrait ensuite s'emparer du pays[104].»

«Tous les parents et amis étaient d'accord des deux côtés; et Marguerite, non plus que sa sœur la comtesse Jeanne, Philippe comte de Namur, ni aucune autre personne, ne s'y opposait. En conséquence, les empêchements étant inconnus, les conventions matrimoniales furent signées, et le mariage célébré en face de l'église avec les solennités en usage parmi les nobles, et comme doit l'être toute union véritable et légitime, faite avec l'assentiment des deux parties; après quoi des fêtes eurent lieu au milieu de l'allégresse générale. Gauthier d'Avesnes avait promis de constituer en dot à Marguerite cinq cents livres de rente annuelle sur la ville d'Avesnes et sur toute la terre d'Etrœungt en Hainaut, ce qu'il fit en effet; puis, après la célébration des noces, Bouchard conduisit sa femme, avec une suite convenable, dans le Hainaut, pour la mettre en possession de sa dot, et elle y fut reçue par Gauthier d'Avesnes, en tout honneur et révérence[105].»

Ce fut en l'année 1213, et dans le château seigneurial du Quesnoi, que fut célébrée l'union de Bouchard et de Marguerite de Constantinople, au milieu d'une noble assistance, où figurait, outre les parents et alliés de la puissante maison d'Avesnes, l'élite des chevaliers du pays. Philippe-Auguste, en ce moment, ravageait la Flandre. Jeanne de Constantinople et le comte Fernand ne purent assister au mariage dont Bouchard s'empressa d'ailleurs de leur annoncer la célébration[106]. Ils réglèrent, peu après, certaines conventions relatives aux intérêts des deux époux[107].

Marguerite n'avait pas encore douze ans lorsque Bouchard l'épousa. Le chroniqueur Philippe Mouskes, qui vivait à cette époque, nous dit que la jeune princesse était belle comme la fleur dont elle portait le nom. Elle vivait heureuse et paisible dans le somptueux château d'Etrœungt, et rien ne semblait devoir troubler sa félicité. Elle devint bientôt et successivement mère de deux fils, dont l'aîné porta le nom de Jean d'Avesnes, et le second celui de Bauduin. Plus tard, il lui naquit encore une fille, qui fut appelée *Felicitas*. L'on se demande pourquoi.

Trois ans s'étaient à peine écoulés qu'un bruit étrange se répand en Flandre et en Hainaut. On apprend que Bouchard est bien réellement dans les ordres. L'évêque d'Orléans affirme lui avoir conféré le sous-diaconat.

Au milieu d'un peuple profondément religieux, dans le temps des fortes croyances, la fille de l'empereur Bauduin, du chef de la croisade, pouvait-elle rester la femme d'un prêtre renégat et partager une éternelle réprobation? Jeanne manda l'évêque de Tournai et les principaux ecclésiastiques de ses Etats, en les priant de lui donner leur avis sur cette grave affaire[108]. On décida, d'un commun accord, qu'il la fallait soumettre au prochain concile qui s'assemblerait à Rome[109]. Dans l'intervalle, la comtesse écrivit plusieurs fois à Bouchard, lui envoya l'évêque de Tournai, puis des chevaliers prudents et sages, afin de l'engager à lui rendre sa sœur Marguerite, promettant de lui réserver l'accueil le plus tendre. Bouchard et Marguerite ne voulurent rien entendre et restèrent ensemble dans les domaines que la maison d'Avesnes possédait en Hainaut[110].

Le scandale allait croissant. Parmi les conseillers de la comtesse, les uns pensaient que la jeune princesse si étrangement séduite et aveuglée devait se faire sans délai religieuse, et entrer en l'abbaye de Sainte-Waudru à Mons, ou en celle de Maubeuge, ou dans une maison d'Hospitalières; quelques-uns prétendaient que, dans sa position, elle ne pouvait prendre le voile, et qu'elle devait passer le reste de ses jours dans la retraite et l'humilité. De nouvelles tentatives auprès de Bouchard furent infructueuses; et c'est alors que, devant une obstination que rien n'avait su vaincre, la comtesse de Flandre dut prendre une résolution grave. Elle écrivit au Pape et au concile général alors assemblé à Latran. En dénonçant l'apostasie du sous-diacre Bouchard, elle priait le Pape et le concile de prononcer sur le cas où se trouvait sa sœur; de décider si son mariage avec Bouchard était valable, et si ses deux enfants devaient être réputés légitimes[111].

Innocent III, ce pontife austère, cet homme inflexible, qui avait dompté Jean-sans-Terre et forcé Philippe-Auguste à renvoyer Agnès de Méranie, tressaillit d'une sainte colère. La bulle qu'il fulmina le prouve assez. «Innocent, évêque, serviteur des serviteurs de Dieu, à nos vénérables frères l'archevêque de Reims et à ses suffragants[112], salut et bénédiction apostolique. Un horrible, un exécrable crime a retenti à nos oreilles. Bouchard d'Avesnes, naguère chantre de Laon, revêtu de l'ordre du sous-diaconat, n'a pas craint d'enlever frauduleusement, de certain château où elle était confiée à sa foi, sa cousine, noble femme Marguerite, sœur de notre chère fille en Jésus-Christ, noble femme Jeanne, comtesse de Flandre: il n'a pas redouté de la détenir, sous le prétexte impudent et menteur d'avoir contracté mariage avec elle. Comme du témoignage de plusieurs prélats et d'autres hommes probes qui ont assisté au sacré concile général, il nous a été pleinement prouvé que ledit Bouchard est sous-diacre, et qu'il fut jadis chantre de l'église de Laon; ému de pitié dans nos entrailles pour cette jeune fille, et voulant remplir les devoirs de notre office pastoral envers l'auteur d'un forfait si odieux, nous vous ordonnons et mandons par ces lettres apostoliques, que les dimanches et fêtes, par tous les lieux de vos diocèses, au son des cloches et les cierges allumés, vous fassiez annoncer publiquement que Bouchard l'apostat, contre lequel nous portons la sentence d'excommunication que réclame son iniquité, est mis, lui et ses adhérents, hors de communion, et que tout le monde doit avec soin l'éviter. Dans les lieux où Bouchard sera présent avec la jeune fille qu'il détient, dans les endroits même en dehors de votre juridiction où, par hasard, il aurait l'audace d'emmener ou de cacher ladite jeune fille, le service divin devra cesser à votre commandement, et cela, tant que ledit Bouchard n'ait rendu Marguerite libre à la comtesse sus-nommée, et que, satisfaisant comme il convient aux injures commises, il ne soit humblement retourné à une vie honnête et à l'observance de l'ordre clérical. Ainsi donc, tous et chacun de vous, ayez soin d'exécuter ceci efficacement, de manière à faire voir que vous aimez la justice et détestez l'iniquité, et aussi pour n'être pas repris d'inobédience et de négligence.— Donné à Latran, le XIV des kalendes de février, l'an XVIIIᵉ de notre pontificat (19 janvier 1215).[113]»

La vive sollicitude d'Innocent III à l'égard des filles de l'empereur Bauduin s'explique; c'était pour le Pape une affaire de conscience sous un double rapport. En 1198, alors qu'il s'agissait d'organiser cette grande croisade dont le comte de Flandre devait être le chef, Innocent, pour ôter toute crainte, tout scrupule à Bauduin, lui écrivit une lettre dans laquelle il prenait sous sa protection lui et sa famille, jurant d'avoir, pendant l'expédition, un soin particulier des enfants du comte et de leur patrimoine[114].

Bouchard, enfermé dans les hautes tours du château d'Etrœungt, que son frère Gauthier d'Avesnes lui avait donné en 1212 à l'occasion de son mariage, ne parut pas ébranlé de ce premier anathème. Le second ne se fit pas longtemps attendre. Honorius III, successeur d'Innocent qui venait de mourir, fulmina, le 17 juillet 1217, une nouvelle bulle, plus énergique, plus significative encore que la première s'il est possible. Il y disait: «Plût à Dieu que Bouchard d'Avesnes, cet apostat perfide et impudique, se voyant frappé, en conçût de la douleur, et que, brisé de contrition, il acceptât humblement la correction ecclésiastique; ainsi le châtiment lui rendrait l'intelligence, l'ignominie qui souillait sa face viendrait à cesser; le saint ministère ne serait plus en lui sujet à l'opprobre, et l'on ne verrait plus le visage d'un clerc couvert de confusion: Bouchard enfin n'aurait plus à craindre le reproche et la parole de tous ceux qui l'abordent. Tandis qu'au contraire le caractère clérical est blasphémé en lui parmi les nations et que vous-mêmes, mes frères, encourez l'accusation de négligence.... Mais bien que, suivant ce que nous a fait dire la comtesse sus-mentionnée (Jeanne), vous ayez fait promulguer l'excommunication du sus-nommé Bouchard, comme vous n'avez pas pleinement exécuté notre mandat apostolique en d'autres points non moins nécessaires, ledit Bouchard n'a eu garde de se tourner vers celui qui l'a frappé et n'a point invoqué le Dieu des armées. Bien loin de là, cette tête de fer, ce front d'airain ne s'est ému ni de la crainte de Dieu, ni de la crainte des hommes, et n'a donné aucun signe de repentir. Ladite comtesse, toujours accablée de douleur et pénétrée de confusion, n'a donc pu jusqu'à présent recouvrer la sœur qui lui est ravie. Ainsi, voulant atteindre par un châtiment plus grave celui qui ne s'est point laissé pénétrer par la componction, nous mandons expressément à votre paternité que, suivant l'ordre de notre prédécesseur, vous ayez à procéder contre l'apostat susdit, nonobstant tout obstacle d'appel, de façon à faire voir que vous avez de tels forfaits en abomination, et que la comtesse sus-nommée n'ayant plus à renouveler ses plaintes, nous puissions rendre bon témoignage de votre droiture et de votre zèle.—Donné à Agnani le XVI des kalendes d'août, l'an premier de notre pontificat (17 juillet 1217).»

Cette excommunication n'eut pas plus d'effet que la première. Cependant Marguerite avait obtenu un sauf-conduit de sa sœur et allait quelquefois la visiter. Un jour, devant toute la cour de Flandre assemblée, et il s'y trouvait plusieurs évêques et grand nombre de barons, elle s'écria: «Oui, je suis la femme de Bouchard et sa femme légitime. Jamais, tant que je vivrai, je n'aurai d'autre époux que lui!» Et se tournant vers la comtesse: «Celui-là, ma sœur, vaut encore mieux que le vôtre: il est meilleur mari et plus brave chevalier[115].» Peu de temps après, Bouchard, ayant voulu réclamer les armes à la main le douaire de Marguerite, tomba au pouvoir de la comtesse de Flandre, qui le retint prisonnier au château de Gand. Marguerite se rendit à plusieurs reprises auprès de sa sœur pour implorer la délivrance de Bouchard; mais chaque fois elle se montra inébranlable devant toutes les supplications de la comtesse et ne voulut jamais consentir à se séparer de l'excommunié. Jeanne, nonobstant les graves sujets de plainte qu'elle avait contre sa jeune sœur et l'injure récente qu'elle en avait reçue, céda à ses instances et lui rendit enfin le père de ses enfants[116]. Toutefois, Marguerite dut fournir caution que Bouchard ne prendrait plus les armes. Arnoul d'Audenarde, Thierri de la Hamaïde, les sires d'Enghien, de Mortagne et plusieurs autres se portèrent garants pour elle[117].

L'affection de Marguerite soutenait donc Bouchard contre l'adversité et fortifiait son obstination. Aussi le vit-on toujours impassible et opiniâtre dans la proscription à laquelle l'Eglise l'avait condamné.

Tantôt il vivait dans une province, tantôt dans une autre, au fond de quelque retraite que lui ouvrait furtivement la main généreuse d'un ami. Il se trouva même des prêtres assez audacieux pour dire la messe en présence de Bouchard et de sa famille[118]. Il parcourut de la sorte les diocèses de Laon, de Cambrai et de Liège, et séjourna pendant six ans au château de Hufalize, sur les bords de la Meuse, dont le seigneur lui accorda l'hospitalité ainsi qu'à Marguerite et à ses enfants[119].

La papauté, devant qui les empereurs et les rois humiliaient leurs fronts, ne pouvait vaincre l'obstination d'un sous-diacre. Une troisième excommunication, plus violente que ne l'avaient été les deux autres, est fulminée, en 1219, par Honorius. Cette fois ce n'est plus Bouchard seul qui est frappé, c'est son frère Gui d'Avesnes, ce sont ses amis Waleran et Thierri de Hufalize et les autres qui ont donné asile à l'apostat; ce sont les prêtres désobéissants, c'est Marguerite enfin qu'atteindra l'excommunication, si Bouchard n'est pas laissé dans l'isolement, comme devait l'être tout homme frappé de l'anathème ecclésiastique.

«Honorius, etc.... Pourquoi la bonté divine n'a-t-elle pas permis que le méchant apostat Bouchard d'Avesnes se réveillât et ouvrît enfin les yeux pour reconnaître son iniquité et apercevoir les immondices dont il est souillé depuis la plante des pieds jusqu'au sommet de la tête, et que, de l'abîme boueux où il est enfoncé, il poussât un cri vers le Seigneur pour obtenir d'être retiré de cet étang de misères et de la fange d'impureté où il est retenu?... Mais non, nous le disons avec douleur, le cœur de cet homme est endurci. Il se corrompt et se putréfie de plus en plus dans son fumier: comme une bête de somme, il élève la tête, et comme l'aspic qui n'entend pas, il se bouche les oreilles pour ne point écouter nos corrections et écarter de lui les remontrances qui devraient le retirer de l'iniquité. Aussi le misérable doit-il craindre avec raison d'encourir tout à la fois l'exécration de Dieu et des hommes, c'est-à-dire les châtiments temporels d'une part et les peines éternelles de l'autre. Nous rougirions de rappeler encore ici les forfaits que l'apostat susdit a commis impudemment envers noble femme, notre très chère fille en Jésus-Christ, Jeanne, comtesse de Flandre, etc.... Mais comme nobles hommes, Waleran, Thierri de Hufalize, et d'autres encore des diocèses de Laon, de Cambrai et de Liège, favorisent le même apostat excommunié et gardent les réceptacles où est détenue ladite Marguerite, et qu'en outre, noble homme, Gui d'Avesnes, frère germain du même apostat, et quelques autres avec lui, le maintiennent de toutes leurs forces, et qu'enfin il s'est trouvé des prêtres assez audacieux pour célébrer témérairement les divins offices au mépris de l'interdit dans les lieux où la susdite Marguerite est détenue captive, etc.... Nous mandons apostoliquement à votre discrétion de publier, etc. (la formule d'excommunication comme ci-dessus).... Et s'il est trouvé que ladite Marguerite, s'étant rendue complice d'une si grande iniquité, ne s'est point séparée de son séducteur, qu'elle soit aussi nommément excommuniée, nonobstant tout appel, jusqu'à récipiscence, etc.—Donné à Rome le VIII des kalendes de mai, l'an IIIe de notre pontificat (24 avril 1219).[120]»

La déplorable position de Bouchard avait jusque-là été adoucie par l'aveugle dévouement que Marguerite ne cessait de lui porter. On garde aux Archives générales, à Lille, un acte de 1222, où Marguerite donne encore à Bouchard le titre d'époux: *maritus meus*[121]. Mais bientôt cet attachement si vif et si exalté s'évanouit tout à fait, par un de ces retours si fréquents dans les affections humaines, et Bouchard se vit abandonné. Marguerite se retira d'abord au Rosoy avec ses enfants, chez une des sœurs de Bouchard d'Avesnes[122]; puis, en 1225, Bouchard était complètement délaissé, et sa femme, au grand étonnement de chacun, formait de nouveaux nœuds en épousant le sire Guillaume de Dampierre, deuxième fils de Gui II de Dampierre, et de Mathilde, héritière de Bourbon[123].

Bouchard d'Avesnes vécut encore quinze ans. La comtesse de Flandre lui pardonna et intervint même avec le comte Thomas, son mari, dans certaines affaires de famille qui l'intéressaient[124]. Retiré au château d'Etrœungt, Bouchard y mena une existence assez obscure; car l'on n'entendit plus parler de lui. Peut-être cherchait-il alors des consolations dans l'étude des lettres qui avaient fait le charme de ses jeunes années. Nonobstant les fables que plusieurs historiens ont débitées sur le trépas de ce personnage si coupable et si malheureux, il paraît aujourd'hui certain qu'il mourut naturellement en son manoir, vers 1240, et qu'il fut enterré à Cerfontaine, près de l'ancienne abbaye de Montreuil-les-Dames, sur les confins de la Thiérache et du Hainaut[125].

III

Histoire merveilleuse du faux Bauduin.

Jeanne, orpheline dès son enfance, avait, au début de son mariage, vu son pays ravagé et ensanglanté par la guerre; au milieu de ses douleurs patriotiques, elle avait eu le profond chagrin de voir sa jeune sœur devenir, à l'insu de tous, la femme d'un prêtre apostat et rebelle; elle avait vu enfin le comte Fernand, son mari, vaincu à Bouvines, retenu prisonnier dans la tour du Louvre, sans que ses supplications, ses larmes, ses sacrifices pussent l'arracher à l'implacable animosité du roi de France. Il semblait que la coupe de ses infortunes dût être pleine. Il n'en était rien cependant, et il lui restait une cruelle et dernière épreuve à subir.

Il arriva, en effet, vers 1224, un événement des plus étranges, qui produisit partout une grande émotion et faillit causer une révolution complète en Flandre et en Hainaut. Nous avons fait allusion plus haut à cette merveilleuse aventure. Il nous reste à la raconter d'après les historiens du temps qui nous ont laissé à ce sujet des détails d'un piquant intérêt.

En l'année 1215, parurent pour la première fois en Hainaut, dans la ville de Valenciennes, des Frères Mineurs de l'ordre de Saint-François. Voués aux plus humbles labeurs, les uns faisaient des nattes, des paniers, des corbeilles; les autres de la toile; quelques-uns écrivaient et reliaient ces livres que nous admirons aujourd'hui comme les chefs-d'œuvre d'une patience surhumaine[126]. Quels étaient donc ces austères personnages? d'où venaient-ils? Chacun cherchait à pénétrer le mystère dont s'entourait leur pauvre et silencieuse existence. On se livrait à toute espèce de conjectures à ce sujet, quand un incident vint trahir le secret bizarre dont ces religieux semblaient se faire un cas de conscience.

L'an 1222, comme l'on posait les fondements du beffroi, au coin du marché, en la ville de Valenciennes, le sire de Materen, gouverneur de ladite ville pour la comtesse Jeanne, vint assister à cette opération. Il était là, regardant les travaux, quand il aperçut devant lui un Frère Mineur, demandant humblement l'aumône parmi la foule.

«Cet homme, dit-il aux gens de sa suite, me paraît d'une élégante et belle stature; son geste est noble et grave, mais quel vêtement sordide, comme tout cela est bizarre, misérable. Qu'on l'appelle, et faisons-lui l'aumône[127].»

Le Frère s'approcha du gouverneur, et, l'ayant considéré avec attention, il se couvrit le visage de ses mains, puis s'éloigna aussitôt en disant: «Je n'accepterai point d'argent.»

On courut après lui; mais il repoussa tristement la bourse qu'on lui tendait, et se hâta de regagner son couvent.

Cette conduite parut étrange au gouverneur; mille pensées diverses traversèrent son esprit. Il s'enquit du nom de cet homme qui fuyait sa présence si brusquement. On n'en put rien lui dire, sinon qu'on le croyait Flamand et que les autres religieux l'appelaient frère Jean le Nattier, à cause de son adresse à tresser les nattes. Du reste, ajouta-t-on, il porte sur le visage deux profondes cicatrices dont l'une descend du front à l'œil droit, en passant sur le sourcil, et l'autre partage le front transversalement[128]. A ces mots, le gouverneur baissa la tête et demeura pensif. Rentré au logis, il envoie dire au religieux de venir incontinent le trouver. Mais on répond au messager que le Frère a quitté le couvent pour se diriger vers Arras. La nuit se passe, et le lendemain dès l'aube, le sire de Materen, suivi de quelques valets, chevauchait à la poursuite du religieux. Entre Douai et Arras, il rejoignit le Frère qui cheminait en compagnie d'un autre religieux de son ordre, tous les deux pieds nus et couverts de pauvres vêtements.

«Bonjour, Frères, leur dit-il en les abordant.

—Que la paix du Seigneur soit toujours avec vous!» répondirent ceux-ci.

Et l'on marcha en s'entretenant de choses indifférentes.

Quand le gouverneur fut assuré qu'il ne s'était pas trompé dans ses conjectures, il sauta à bas de son cheval, et, s'approchant du religieux,

«Seigneur Josse, lui dit-il, vous êtes mon oncle, le frère de mon père! Dame Elisabeth, votre sœur, vit encore, et vos deux fils ont été faits chevaliers. Pourquoi donc les seigneurs, vos compagnons d'armes, nous ont-ils annoncé votre mort en nous renvoyant votre armure, la vieille armure de votre aïeul, puisque vous voilà vivant[129]?»

Le religieux, confondu par ces paroles, ne savait plus que dire. Son cœur se remplit d'amertume. Un instant il s'efforça d'échapper à cette position par des subterfuges; mais se voyant reconnu tout à fait, il prit la main du chevalier dans la sienne et lui dit:

«Jurez-moi de ne jamais révéler ce que vous allez apprendre.»

Le chevalier jura.

«Eh bien, oui, je suis votre oncle Josse de Materen, le même qui jadis, comme vous le savez, partit avec Bauduin comte de Flandre et de Hainaut pour la croisade!»

Alors il se mit à raconter les principaux événements de cette grande expédition. Partout et toujours il avait suivi son suzerain depuis la Flandre jusqu'à Venise, depuis Venise jusqu'au siège de Constantinople. Dans les combats, il était près du comte; après les combats, il assistait avec lui au partage des dépouilles. Lors de l'élection de Bauduin à l'empire, il était là présent; à sa confirmation encore, à son couronnement encore. Enfin, il avait pris part à cette sanglante bataille que Bauduin avait livrée aux Blactes et aux Comans devant Andrinople, et dans laquelle le valeureux prince avait trouvé la mort[130].

Puis il se prit à narrer comment les chevaliers flamands, après avoir longtemps combattu en Palestine, s'en allèrent avec Pèdre, roi de Portugal, frère de la reine Mathilde, jadis comtesse de Flandre, envahir le royaume de Maroc; comment beaucoup d'entre les croisés subirent un glorieux martyre sur la plage africaine; comment enfin grand nombre de barons firent vœu d'entrer en religion et y entrèrent en effet. Le gouverneur, ému, écoutait ces récits. Quand il fallut se séparer de son oncle, il le serra sur son cœur avec effusion, et regagna pensif et silencieux la ville de Valenciennes.

Cependant, peu de temps après, le bruit se répandit de tous côtés que les chevaliers qui avaient accompagné le comte Bauduin à la croisade étaient revenus dans leur patrie pour y vivre pauvres et inconnus, sous l'habit de Frères Mineurs, ou sous celui d'ermites mendiants. Cela fit une grande sensation. Ainsi que nous l'avons dit, le peuple n'avait jamais eu une confiance bien robuste dans la mort de l'empereur. Souvent, et dès les premières années de la croisade, il avait espéré voir ce prince reparaître un jour dans le pays. Quand on sut que ses compagnons d'armes se trouvaient en Hainaut, on pensa qu'il pourrait bien être avec eux. Bientôt même ce ne fut presque plus un doute, grâce aux perfides insinuations de quelques-uns de ces grands vassaux dont la comtesse Jeanne comprimait les velléités tyranniques, et qui, pour se venger, cherchaient toutes les occasions de susciter des embarras à leur courageuse souveraine. A leur tête étaient les seigneurs du Hainaut qui avaient embrassé contre la comtesse de Flandre le parti de Bouchard d'Avesnes dont nous avons raconté plus haut la romanesque histoire.

A quatre lieues de Valenciennes, et non loin de la petite ville de Mortagne, se trouvait un bois qu'on appelait le bois de Glançon. Là vivait un ermite, ou pour mieux dire un mendiant que sustentait la charité publique. Un jour que cet homme parcourait les rues de Mortagne tendant la main aux passants, un baron l'aborde. Après l'avoir un instant considéré, il feint la surprise. Comme le mendiant lui en demande la raison, le baron se prosterne et lui dit:

«Seigneur, je vous reconnais; vous êtes véritablement l'empereur Bauduin!»

L'ermite est stupéfait. Plus il cherche à se défendre d'être l'empereur, et plus le chevalier paraît convaincu du contraire[131].

Tout en faisant mille protestations, ce dernier emmène l'ermite en son hôtel et l'y installe en toute révérence. Bientôt de hauts personnages arrivent à la dérobée qui le circonviennent, lui persuadent que, s'il n'est pas l'empereur, il a du moins une telle ressemblance avec Bauduin, qu'on le peut facilement prendre pour ce prince; lui apprennent plusieurs secrets de famille, enfin le façonnent au rôle qu'il doit jouer[132]. Le mendiant se montre d'autant plus intelligent qu'en son temps il avait été jongleur, ainsi qu'on le verra par la suite.

Dans l'intervalle, on exploite la crédulité du peuple. On lui persuade sans peine que l'empereur existe réellement, et qu'il consent enfin à sortir de l'obscurité où il avait voulu finir ses jours pour se rendre à l'amour de ses sujets fidèles. Mortagne d'abord le reconnaît pour son souverain. Les populations se soulèvent de joie. On court à sa rencontre de tous les côtés, et c'est avec un immense cortège qu'il se présente dans les villes de Tournai, de Valenciennes et de Lille, où il est reçu avec acclamation. Un contemporain, le chroniqueur Philippe Mouskes, dit à ce propos que si Dieu était venu sur la terre il n'eût pas été mieux accueilli[133]. A Gand et à Bruges, l'entrée du faux Bauduin fut magnifique. Au milieu de l'enthousiasme général, il traversa ces villes porté sur une litière, revêtu du manteau de pourpre et de tous les ornements impériaux. Un archichapelain portait la croix devant lui[134]. Personne ne se doutait du piège, et quantité de seigneurs des deux comtés y tombèrent et suivirent l'imposteur. Bientôt la comtesse Jeanne se trouva presque abandonnée, sans autre appui qu'un petit nombre d'amis fidèles, qui, sachant parfaitement à quoi s'en tenir sur le sort de l'empereur Bauduin, déploraient avec elle l'astucieuse perfidie de quelques barons, et le fatal aveuglement d'un peuple qui se laissait si facilement entraîner.

Le pouvoir de la comtesse fut sérieusement ébranlé par cette bizarre aventure. La division était dans le pays; des luttes sanglantes s'engageaient déjà entre les seigneurs des deux partis. Au milieu de ce trouble et de cette confusion, l'existence même de la princesse courut des dangers. Dans leur exaltation contre Jeanne, qu'ils considéraient comme une fille rebelle, attendu qu'elle ne pouvait pas croire ce qu'ils croyaient, les partisans du faux Bauduin dirigèrent leurs coups contre elle. Après avoir cherché vainement à vaincre la superstitieuse obstination de tout un peuple et à s'opposer aux envahissements de l'imposteur, Jeanne s'était réfugiée en son château du Quesnoi. Une nuit, ils tentèrent de l'enlever; elle eut à peine le temps de fuir dans la campagne par une issue cachée, de monter à cheval et de gagner la ville de Mons, à travers des chemins affreux et pleins de périls.

En aucune circonstance, Jeanne n'eut à déployer plus d'énergie et d'habileté que dans la triste position où la fortune venait encore une fois de la plonger. Perdre l'héritage de ses pères, le laisser aux mains d'un misérable aventurier, et surtout passer pour une fille dénaturée, parricide, c'était vraiment là un de ces coups imprévus et terribles sous lesquels succombent souvent les âmes les plus fortement trempées.

Pour nous servir de l'heureuse expression d'un vieil historien, la comtesse «jugea bien que ce fuseau ne se devoit pas démesler par force, mais par finesse[135].» Elle essaya d'abord de faire venir l'ermite au Quesnoi. Il y avait auprès d'elle en ce moment une ambassade du roi de France, Louis VIII, composée de trois hauts personnages, Mathieu de Montmorency, Michel de Harnes et Thomas de Lempernesse. Elle espérait confondre devant eux l'imposteur, mais celui-ci se garda bien de se rendre à l'invitation de Jeanne[136].

La situation devenait de plus en plus critique. Le roi d'Angleterre Henri III, partageant ou plutôt feignant de partager l'erreur commune, écrivit au faux Bauduin une lettre de félicitations, en lui offrant de renouveler les anciennes alliances qui avaient uni leurs ancêtres. Il lui rappelait que le roi de France les avait dépouillés l'un et l'autre de leur héritage: il lui offrait enfin et lui demandait des conseils et des secours pour recouvrer les domaines que tous deux avaient perdus[137]. Henri ne pouvait plus compter sur l'appui de Jeanne, laquelle avait de graves motifs pour ne pas offenser le prince qui tenait son mari dans les fers. En favorisant l'imposteur, il espérait s'en faire une créature dévouée, regagner l'amitié des Flamands, et armer de nouveau ceux-ci contre la France, ce qui eût fort bien servi ses intérêts en ce moment-là.

Jeanne, après avoir vainement tenté tous les moyens d'ouvrir les yeux à ses sujets, attendait avec anxiété que la Providence se chargeât de dévoiler elle-même l'iniquité. Elle n'attendit pas longtemps. Le sire de Materen, resté fidèle à sa suzeraine, s'était ressouvenu de la rencontre que naguère il avait faite de son oncle. Il pensa que son appui et celui des Frères Mineurs, s'ils voulaient le prêter, seraient d'un grand secours à la comtesse Jeanne. Il se mit en quête de rechercher cet oncle, et ce ne fut pas sans peine qu'il parvint à le découvrir dans le refuge de Saint-Barthélemy, près Valenciennes, où il était revenu après l'incident raconté plus haut.

A la suite d'une longue entrevue avec le religieux, le sire de Materen se rendit auprès de la comtesse. Là, devant le conseil assemblé, il rendit compte en secret de tout ce qu'il avait appris. Jeanne et ses conseillers furent profondément émus de ce récit. Ils éprouvaient tout à la fois un mélange de joie et de tristesse. Peu de jours après, la comtesse vint à Valenciennes, croyant y trouver les Frères; mais ceux-ci, fuyant le souffle de la faveur mondaine, dit la chronique, s'étaient dispersés et réfugiés les uns à Liège, les autres à Arras ou à Péronne.

Sans délai, Jeanne informa le roi de France de tout ce qui se passait, lui demandant conseil et protection dans cette périlleuse circonstance[138]. Le roi fit partir pour la Flandre et le Hainaut des envoyés qui trouvèrent le pays en révolution. La plupart des communes obéissaient à l'ermite comme à leur seigneur naturel. De leur côté, la noblesse et le clergé ne savaient plus trop quel parti prendre.

Cependant Jeanne faisait rechercher en toute hâte les personnes qui pouvaient avoir connu son père et surtout les Frères Mineurs dont le gouverneur de Valenciennes avait parlé. On en trouva dix-neuf d'entre eux, dont seize laïques et trois prêtres, qui furent aussitôt mandés devant la comtesse Jeanne et les envoyés du roi, et qui, cette fois, malgré le serment par eux juré de n'avoir aucun rapport avec le monde, n'osèrent pas se soustraire aux ordres de leur souveraine et aux cris plus impérieux peut-être encore de leur propre conscience.

Le fameux Guérin, évêque de Senlis, présidait l'enquête. Ayant demandé aux religieux leurs noms, leur patrie, leur état, ce qu'ils savaient du comte Bauduin, de sa mort; leur ayant fait jurer sur l'Evangile de dire la vérité, l'un de ces Frères répondit à l'évêque au nom de tous:

«Seigneur, voici la vérité; nous avons tous les seize traversé la mer avec le très-illustre prince Bauduin, dont l'âme repose en paix, et depuis lors nous ne l'avons plus quitté un seul instant jusqu'à sa mort. Dans toutes les batailles où il combattait de sa personne, nous étions présents, et dans la dernière qu'il livra aux Comans et aux Blactes, nous l'avons vu vivant, puis mort[139]. Nous le jurons tous. Nous demandons en outre à parler, en présence du roi, à celui qui se dit être Bauduin.»

Le roi fut aussitôt informé du résultat de l'enquête. Quelques semaines après, à la prière de Jeanne, il vint lui-même à Péronne. Il appela les Frères Mineurs devant lui, les interrogea longuement, et quand il eut appris de leur propre bouche tout ce qu'il désirait savoir, il les confina dans un couvent de la ville. Alors il écrivit au prétendu Bauduin, lui mandant de se rendre incontinent auprès de lui pour conférer d'affaires importantes. Il lui envoyait en même temps un sauf-conduit[140]. Le soi-disant comte de Flandre et de Hainaut ne pouvait se dispenser d'obéir aux ordres de son suzerain; il s'achemina donc vers Péronne, suivi d'un cortège nombreux composé de tous ceux qui, parmi les barons et les bourgeois des deux comtés, croyaient voir en lui leur véritable seigneur. Pleins d'assurance et de joie, ces bonnes gens s'imaginaient que le roi de France allait solennellement reconnaître Bauduin de Constantinople et l'investir des fiefs dont il avait été si longtemps dépouillé. L'étrange missive du roi d'Angleterre avait encore augmenté leur aveuglement, et il fallait désormais beaucoup de prudence et d'adresse pour leur ouvrir les yeux, confondre l'imposteur, réduire enfin à néant cet incroyable échafaudage de ruses, de trahisons et de soupçons odieux dressé contre la malheureuse fille de Bauduin.

A son arrivée à Péronne, l'ermite fut reçu avec le même cérémonial que s'il eût été l'empereur en personne. En le saluant, le roi l'appela son oncle; et puis, entrés dans les appartements du château, ils devisèrent quelque temps ensemble, jusqu'à l'heure où l'on corna l'eau pour le repas, suivant l'usage du temps. Alors le roi le pria de dîner avec lui; l'ermite s'en excusa et s'en alla dîner au riche hôtel qui lui avait été préparé dans la ville. Après le dîner, Louis VIII lui envoya un de ses officiers pour l'engager, ainsi que les seigneurs de sa suite, à venir au *parlement*, c'est-à-dire à l'assemblée où d'habitude les princes et les barons se réunissaient au logis du roi. Cette fois, l'ermite, qui avait déjà refusé de s'asseoir au festin royal, ne crut plus pouvoir se dispenser de retourner chez le roi. Il avait été cependant fort contraint et gêné à la première entrevue; mais il s'était trop avancé et ne pouvait maintenant reculer. Le roi le prit à part et le fit causer de nouveau; il ne tarda pas à voir par toutes ses réponses qu'il n'était qu'un misérable personnage et un effronté menteur[141]. Bientôt l'évêque de Senlis vint l'entreprendre à son tour; il lui parla du siège de Constantinople, des affaires d'outre-mer et de bien d'autres choses que l'empereur Bauduin aurait dû parfaitement connaître[142]. L'ermite, de plus en plus embarrassé, répondit avec hésitation. A la fin, l'évêque, élevant la voix devant tous les seigneurs présents, français, flamands, ou hainuyers:

«Sire, lui dit-il, nous voyons bien à votre contenance que vous devez être un très noble homme; mais il y a encore des gens qui en doutent. Pour ôter tout soupçon, le roi m'ordonne de vous adresser publiquement quelques questions.—Vous rappelez-vous en quel temps et en quel lieu vous avez fait hommage de votre terre de Flandre à notre seigneur le bon roi Philippe, dont Dieu ait l'âme?»

L'ermite, après avoir un moment réfléchi, dit qu'il ne s'en souvenait plus....

Le prélat lui demanda ensuite par qui il avait été fait chevalier; en quelle ville, à quel jour et dans quelle chambre il avait épousé la princesse Marie de Champagne?

Le vieux jongleur ne s'était pas préparé à d'aussi simples questions; il resta muet et confondu[143]. Alléguant son grand âge, ses longs malheurs, son peu de mémoire, il demanda jusqu'au lendemain pour répondre.

Ebahis, les barons de son escorte se regardaient entre eux; mais il leur répugnait encore de croire qu'ils étaient la dupe d'une mystification aussi audacieuse. Ils espéraient que, remis de son trouble, le vieillard se ressouviendrait facilement de choses qu'il est impossible de jamais oublier, et attendirent le lendemain avec impatience.

Dans la nuit, le faux Bauduin s'enfuit dérobant un des meilleurs chevaux des écuries du roi.

Grande fut la stupeur de chacun, surtout quand on s'aperçut que les écrins, coffrets, joyaux, et tout ce que la chambre contenait de précieux, avaient également disparu. Les chevaliers de Flandre et de Hainaut, dupes ou complices de l'imposteur, remplis de honte et de confusion, quittèrent Péronne furtivement, et l'on n'en vit plus reparaître un seul à la cour du roi[144].

Quant à ce prince, après avoir donné congé aux Frères Mineurs et leur avoir offert sa royale bienveillance[145], il retourna à Paris, satisfait du résultat de son voyage, et bien résolu d'obtenir pour la comtesse de Flandre une satisfaction plus éclatante encore. A cet effet, il écrivit aux principales villes de Flandre et de Hainaut, et leur reprocha de s'être laissé si vilainement abuser par un imposteur, et d'avoir ainsi manqué à la foi et à l'amour qu'elles devaient à leur souveraine[146]; en même temps il dépêchait par toutes les provinces du royaume des lettres où il promettait une forte récompense à celui qui livrerait l'homme dont il indiquait le signalement.

Le faux Bauduin, après sa fuite de Péronne, s'était réfugié au village de Rougemont en Bourgogne, où il espérait n'être jamais découvert. Il y séjourna, en effet, pendant un certain temps sans que le moindre soupçon se portât sur lui. Cependant on remarqua bientôt qu'il dépensait beaucoup d'argent et menait un train de vie peu ordinaire; chacun s'en étonna, car on savait dans le pays qu'il était naguère parti sans sou ni maille, gagnant sa vie au jour le jour, et n'ayant d'autre profession que celle de ménestrel ou jongleur. De propos en propos, la chose vint aux oreilles de messire Everard de Castenay, seigneur du lieu. Il fit mettre le vilain à la question pour apprendre d'où lui venaient toutes ses richesses, et celui-ci finit par avouer qu'il les avait gagnées en Flandre et en Hainaut, où il s'était fait passer pour l'empereur Bauduin. On sut alors aussi que le nom véritable de ce jongleur était Bertrand; qu'il était natif de Rains, village à une lieue de Vitry-sur-Marne; qu'enfin il était fils de Pierre Cordel, vassal de Clarembaut de Capes[147]. Everard de Castenay l'envoya sous bonne garde au roi Louis, qui le reconnut parfaitement et le fit conduire en Flandre, en recommandant à la comtesse de lui faire son procès selon toutes les règles du droit[148].

La chronique flamande inédite que nous avons souvent citée en raison des précieux détails qu'elle renferme sur l'histoire du faux Bauduin, retrace en ces termes empreints de beaucoup de véracité le dénouement du drame:

«Sitost que la contesse le tint, et pour lui faire son procès incontinent, elle fist assembler les nobles et gens de conseil et de justice des bonnes villes de Flandre et de Haynaut, et leur montra ledit Bertrand pour savoir si c'estoit celui qui s'estoit voulu faire passer pour Bauduin l'empereur. Si déclarèrent tous que c'estoit lui sans aultre. Et lui mesme confessa, sans contrainte et de sa franche voulenté, que de tant qu'il avoit présumé, il avoit menti par sa gorge; mais que ce avoit esté plus par les plusieurs que il nomma qu'il s'estoit avanchié de ce faire, dont il se repentoit et demandoit pardon à tous. Adonc, publiquement en recognoissant son péchié, il fut jugié par les nobles du pays à estre traisné et puis pendu au gibet[149].»

On conduisit son cadavre aux champs, et on l'accrocha, près de l'abbaye de Loos, à des fourches patibulaires, où il devint la pâture des oiseaux de proie.

Justice était faite; la comtesse de Flandre, dont le cœur était plutôt rempli d'affliction que de haine, résolut alors de pardonner à tous ceux de ses sujets qui avaient tenu le parti du faux Bauduin, et qui, trop longtemps aveuglés, gémissaient enfin de leur erreur. En conséquence, elle publia une charte d'amnistie, qui fut adressée aux principales villes des deux comtés, le 25 août 1225. La princesse disait qu'elle ne gardait plus aucun ressentiment en son âme, qu'elle oubliait tout; et, en échange de cette preuve d'amour, elle ne demandait à ses peuples que de prier le Seigneur Dieu pour elle[150].

Telle fut la péripétie de ce dramatique et singulier événement. Le retentissement qu'il produisit en son temps s'est perpétué d'âge en âge jusqu'à nous; mais souvent singulièrement modifié, quelquefois même dénaturé tout à fait par les traditions dont il a dû traverser la longue filière.

IV

1226—1233

La comtesse Jeanne a recours au Pape pour obtenir la délivrance de Fernand.—Bulle du Pontife à ce sujet.—Traité de Melun.—Les villes de Flandre refusent sa ratification.—La reine Blanche de Castille consent à modifier le traité.—Délivrance de Fernand en 1226.—Son dévouement à la reine.—Ses expéditions dans le Boulonnais et la Bretagne.—Succession au comté de Namur.—Jeanne et Fernand augmentent le pouvoir municipal en Flandre.—Les *Trente-neuf* de Gand.—Fernand meurt à Noyon.

Tandis que Jeanne de Constantinople luttait seule en Flandre contre d'étranges vicissitudes, Fernand de Portugal voyait tristement s'écouler sa vie entre les murs du Louvre. Le vainqueur de Bouvines était mort le 14 juillet 1223. Jeanne crut l'occasion favorable pour renouveler ses tentatives auprès du successeur de ce prince; mais Louis VIII avait hérité de l'opiniâtreté de son père. Il ne voulut d'abord rien entendre[151]; seulement le comte fut moins durement traité qu'auparavant, et on lui permit même de recevoir la visite quotidienne de quatre Frères Mineurs choisis par le roi dans les couvents de Paris, pour lui porter, deux à deux, et à tour de rôle, quelques consolations[152]. Jeanne mit en œuvre tous les ressorts possibles pour ébranler le monarque. Elle lui fit écrire par le Pape, par un grand nombre de cardinaux et d'autres personnages influents; chacun employait les termes les plus pressants. Honorius alla jusqu'à menacer de lancer l'interdit sur la Flandre et le Hainaut, d'excommunier le comte et la comtesse, si Fernand, mis en liberté, tentait de se rebeller encore.

Après de nombreuses négociations, Louis VIII consentit enfin à traiter de la délivrance de son prisonnier. Voici les principales clauses de ce traité, conclu à Melun le 10 avril 1225[153].

Le roi s'oblige à faire sortir Fernand de prison, le jour de Noël 1226, à condition que celui-ci lui payera vingt-cinq mille livres parisis avant sa sortie. En outre, il devra, ainsi que la comtesse sa femme, remettre entre les mains du roi les villes de Lille, Douai, l'Ecluse et leurs appartenances, pour garantie d'un second payement de la même somme. Le roi rendra ces villes quand le comte et la comtesse lui auront soldé en totalité les vingt-cinq mille livres; mais il gardera la forteresse de Douai pendant dix ans, et une garnison française y sera entretenue aux frais de la Flandre, à raison de vingt sols parisis par jour.—En vertu de la lettre du Pape, le comte et la comtesse, s'ils n'exécutent pas les clauses du traité, seront excommuniés par l'archevêque de Reims et l'évêque de Senlis, quarante jours après sommation, et les terres de Flandre et de Hainaut seront mises en interdit. Le comte et la comtesse feront jurer sûreté et féauté au roi par les barons, les communes et les villes des deux comtés.—Ils ne pourront faire la guerre au roi ou à ses enfants.—Si quelque chevalier refuse de jurer sûreté au roi, ils le chasseront de sa terre; si c'est une ville, ils s'empareront de ses biens.—Enfin le comte et la comtesse n'auront pas le droit d'élever de nouvelles forteresses en Flandre en deçà de l'Escaut sans l'agrément du roi.

Lorsqu'on lut aux barons et aux villes les conditions du traité de Melun, pour la plupart si pénibles et si outrageantes pour la nationalité flamande, ils les repoussèrent avec dédain, et, comme en 1214, ils s'opposèrent formellement à toute espèce de conventions de cette nature.

Les Flamands, il faut le dire, n'éprouvaient pas de sympathie pour le prince portugais, car ils se rappelaient que son avènement au comté avait été la source d'une multitude de malheurs. S'ils se montraient disposés à faire quelque sacrifice, ce n'était que dans le but de complaire à leur souveraine naturelle. La comtesse Jeanne avait cédé à un sentiment d'affection conjugale qui lui avait fait un moment oublier les véritables intérêts du pays: dans quelle sombre perplexité ne devait pas la jeter cette cruelle alternative où elle était placée?

Heureusement pour Fernand et pour elle, le roi vint à mourir sur ces entrefaites. La reine Blanche, mère et tutrice de Louis IX, consentit, au mois de janvier 1226, à modifier le traité. On se contentait de vingt-cinq mille livres avec quelques garanties, et il n'était plus question de garnison française entretenue au cœur même du pays et aux frais des Flamands. Les barons et les villes souscrivirent alors à ce traité, qui ne put toutefois recevoir son exécution qu'après que le jeune roi eut été sacré[154].

Fernand sortit donc de prison le 6 janvier 1226, après une captivité de douze ans, cinq mois et quelques jours. Le malheureux prince avait bien expié les fautes politiques de sa jeunesse. Eprouvé par cette grande infortune, l'âme de Fernand sembla s'être retrempée. Son esprit avait acquis de la gravité dans cette solitude, où le comte de Flandre n'obtenait de son vainqueur sans pitié que les consolations austères de ces Franciscains dont nous avons parlé plus haut.

Pendant le peu d'années qu'il eut encore à vivre, Fernand se conduisit dans le gouvernement de ses Etats avec sagesse et prudence. Jamais il ne se départit du serment de fidélité qu'il avait juré au roi, et se montra toujours reconnaissant envers lui et sa mère, la reine Blanche, laquelle avait si puissamment contribué à hâter le moment de sa délivrance. D'ailleurs, durant sa captivité, il s'était toujours montré plein de résignation; différent en cela de Renaud de Boulogne, dont l'esprit d'intrigue et les fureurs amenèrent un affreux événement.

Il paraît que, du vivant de Philippe-Auguste, Louis, fils du roi et cousin du comte de Boulogne par sa mère Isabelle, avait vivement intercédé pour obtenir la délivrance du prisonnier et y avait réussi. Il vint un jour au château de Compiègne, où le comte de Boulogne avait été transféré nouvellement, annoncer à ce prince les bonnes dispositions du monarque à son égard. Cette nouvelle jeta Renaud dans un transport de joie qui lui fit perdre la tête à tel point que, se jetant aux genoux de Louis: «Beau cousin, lui dit-il, le service que vous m'avez rendu sera richement récompensé, car avant un mois je vous ferai roi de France[155].» Effrayé d'une telle parole, et s'imaginant que le comte de Boulogne en voulait à la vie de son père, le prince Louis monta incontinent à cheval avec une petite escorte de chevaliers et courut jusqu'à Montbason, où était le roi, auquel il raconta le propos de Renaud. Le châtelain de Compiègne reçut aussitôt l'ordre de jeter le prisonnier dans un cachot et de le charger de fers, sans permettre à personne de l'approcher. Il entra dans la chambre du comte pour mettre cet ordre à exécution. Renaud, joyeux à sa vue, croyait que le moment de sa délivrance était venu. «Eh bien, beau châtelain, quelle bonne nouvelle?» s'écria-t-il. Alors celui-ci lui montra les lettres du roi. Renaud pâlit en les lisant. Saisi d'un mouvement de rage frénétique, il prit à bras-le-corps un de ses chambellans qui était là près de lui, et le serra si fortement contre sa poitrine que l'un et l'autre tombèrent morts à terre avant qu'on eût eu le temps de les séparer[156].

Comme on l'a vu, le roi Louis VIII avait suivi de près son père au tombeau. Il laissait, de sa femme, Blanche de Castille, un fils âgé de dix ans, lequel devait monter sur le trône sous le nom de Louis IX, et y acquérir par ses vertus une renommée que l'histoire et la postérité ont si hautement consacrée. Dans les cérémonies du sacre des rois de France, le comte de Flandre remplissait les fonctions de connétable et portait l'épée de Charlemagne devant le monarque. Lors du couronnement de saint Louis, Fernand était encore en prison. La comtesse sa femme, jalouse de maintenir une si glorieuse prérogative, disputa l'honneur de porter l'épée à la comtesse de Champagne, qui, elle aussi, avait la prétention de faire office de connétable pendant l'absence de son mari, en vertu de je ne sais quel antécédent. L'affaire fut déférée à la cour des pairs. Du consentement de Jeanne, les pairs décidèrent que ce serait Philippe de Clermont, comte de Boulogne, qui tiendrait l'épée, mais que cette exception ne porterait pour l'avenir aucun préjudice au droit des comtes de Flandre.

Ce même Philippe de Clermont, l'année qui suivit celle du sacre, c'est-à-dire en 1227, se ligua avec Pierre de Dreux, comte de Bretagne, et plusieurs grands vassaux, contre la reine Blanche, régente de France pendant la minorité de Louis IX. C'était la première occasion qui s'offrait à Fernand de prouver son dévouement à la mère et au fils. Il la saisit avec empressement. A peine Philippe de Clermont eut-il rejoint les confédérés que Fernand fit irruption sur le Boulonnais, et força le comte à accourir défendre ses propres états. Plus tard, Fernand prit encore part à l'expédition dirigée contre Pierre de Dreux, le plus redoutable, après le comte de Boulogne, de tous les grands vassaux révoltés. Cette guerre dura trois ans et se termina par le traité de Saint-Aubin-du-Cormier, qui assura le triomphe de la royauté sur l'aristocratie.

La succession au comté de Namur avait forcé le comte de Flandre à entrer à main armée dans cette province en 1228; et c'est ce qui l'empêcha de prêter en ce moment-là une aide plus efficace à la régente. Fernand se croyait en droit d'élever des prétentions sur le Namurois, du chef de sa femme. Bauduin le Courageux, grand-père de Jeanne, avait, par testament, laissé le comté de Namur à Philippe, son second fils. Philippe, après avoir gouverné la Flandre et le Hainaut durant la minorité de Jeanne, sa nièce, était mort, comme nous l'avons dit, en 1213, sans laisser d'enfants de sa femme, Marie, fille du roi de France. Le Namurois était alors passé aux mains d'Yolande de Hainaut, sœur de Philippe, avec le consentement, au moins tacite, de Henri, son autre frère, élu empereur de Constantinople après la mort du malheureux Bauduin. Yolande était mariée à Pierre de Courtenai, comte d'Auxerre, lequel devait bientôt aussi monter sur le trône de Byzance. Namur fut donc dévolu successivement aux deux fils de Pierre, puis à leur sœur Marguerite de Courtenai, épouse de Henri, comte de Vianden. Ce fut lorsque ce dernier voulut prendre possession du Namurois que Fernand réclama l'héritage au nom de sa femme, nièce d'Yolande. Ses droits n'étaient guère fondés, comme on le voit. Néanmoins il essaya de les faire prévaloir par la force des armes. Il entra dans le comté de Namur, dont l'empereur Henri lui avait donné l'investiture[157], et s'empara de quelques villes, entre autres de Floreffe, qui soutint quarante jours de siège. Mais l'affaire s'arrangea en 1232 par la médiation du comte de Boulogne, ami des deux parties. Un traité fut conclu à Cambrai en vertu duquel Henri de Vianden conserva le comté de Namur, et Fernand eut pour lui les bailliages de Golzinne et de Vieux-Ville[158]. Quatre ans plus tard, Bauduin de Courtenai, empereur de Constantinople, fils de Pierre, revint en France, en Flandre et en Hainaut. Le roi de France lui rendit les domaines qu'il possédait dans le royaume, et la comtesse de Flandre lui remit également les possessions dont elle avait été investie lors du traité de Cambrai; elle l'aida même[159] à recouvrer le comté de Namur sur Henri de Vianden.

Tout le fardeau des grands et sérieux événements avait pesé sur Jeanne durant la captivité de son mari. Lorsque Fernand sortit de prison, la Flandre jouissait de tous les bienfaits du calme et de la paix. A part les guerres de peu d'importance qu'il dut soutenir, et dont il se tira avec honneur et profit, le comte de Flandre n'eut plus qu'à consolider avec sa femme l'œuvre que celle-ci avait si dignement commencée. Ils y travaillèrent tous deux avec zèle. Sans parler ici des fondations charitables ou pieuses faites avec autant de libéralité que de sagesse, des actes diplomatiques consommés avec beaucoup de prudence, nous devons mentionner le développement que, dans l'intérêt de la bourgeoisie et du peuple, ils s'efforcèrent de donner aux institutions politiques, en Flandre surtout; car en Hainaut, le comte Bauduin y avait pourvu avant de partir pour la croisade.

L'organisation et l'extension du pouvoir municipal, ce contre-poids si nécessaire des envahissements féodaux, paraît encore ici avoir été de leur part le but d'efforts qu'on voit, du reste, se renouveler pendant le règne de Jeanne à chaque intervalle de tranquillité publique. Dans la seule année 1228, le comte et la comtesse reconstituèrent le corps échevinal dans quatre des principales villes de Flandre: Gand, Ypres, Bruges et Douai. Un système électif assez compliqué forme la base de ce nouvel échevinage qui consacre et fixe pour la première fois, d'une manière bien stable, les droits de la bourgeoisie. Voici, pour exemple, les dispositions fondamentales du corps politique connu dans l'histoire sous le nom fameux des *Trente-neuf* de Gand.

L'élection des échevins de la ville de Gand se fera chaque année, le jour de l'Assomption de la Vierge, de la façon suivante:

Les échevins actuels (de l'année 1228) éliront, après serment prêté, cinq échevins ou bourgeois de Gand, qu'ils croiront les meilleurs. Si, dans l'élection, il survenait quelque difficulté, celui qui aura le plus de voix sera nommé.—Il ne pourra y avoir parmi ces cinq échevins de parents au troisième degré.—Ces cinq élus feront serment d'élire à leur tour trente-quatre autres échevins ou bourgeois qu'ils croiront les plus capables, ce qui formera le nombre de trente-neuf.—En cas de contestation, celui qui obtiendra le plus de voix aura toujours la préférence; mais le père et le fils ou deux frères ne pourront se trouver ensemble.—Ces trente-neuf échevins se diviseront en trois *treizaines*. La première formera l'échevinage proprement dit; la seconde, le conseil; la troisième restera sans fonctions.—La treizaine qui aura rempli l'échevinage pendant une année sera remplacée par la seconde, celle-ci par la troisième, et ainsi alternativement à perpétuité.—S'il arrive quelque vacance soit par mort ou par retraite, les échevins alors en place en éliront un autre, se conformant aux mêmes formalités et exceptions.—Les échevins prêteront serment entre les mains du bailli de Gand ou de celui qu'il aura légitimement préposé; en cas d'absence, entre les mains des échevins sortants[160].

Le comte Fernand eut sans doute, en 1230, le pressentiment d'une fin prochaine, car au mois de mars de cette même année, il fit son testament. Entre autres dispositions, on y remarque celle-ci: «Mes joyaux et tout ce qui appartient à mon écurie, à ma table, à ma cuisine, à ma chambre, seront mis à la disposition de mes exécuteurs testamentaires pour être vendus, à l'exception toutefois de ce qui aura été réservé par moi; le prix sera employé aux frais d'exécution du testament, et le surplus de l'argent devra être abandonné aux pauvres[161].»

Le 27 juillet 1233, comme il se trouvait à Noyon, il succomba aux progrès de la gravelle, maladie dont il avait contracté le germe durant sa longue captivité. Son cœur et ses entrailles furent ensevelis dans la cathédrale de cette dernière ville. Son corps fut, par les ordres de sa femme, rapporté en Flandre. La comtesse Jeanne lui fit élever un mausolée dans l'église du monastère de Marquette, qu'elle avait fondé près de Lille, et où elle avait résolu de reposer elle-même à la fin de ses jours, à côté de l'époux dont elle avait été si longtemps séparée sur la terre.

V

1233—1244

Naissance et mort de la jeune Marie, fille de la comtesse.—Sollicitude de Jeanne pour la mémoire de son époux Fernand.—Ses actes nombreux de bienfaisance.—Sa visite aux Frères Mineurs de Valenciennes.—Incidents divers.—Mariage de Jeanne avec Thomas de Savoie.—Portrait de ce prince.—Le comte et la comtesse de Flandre prêtent hommage au roi Louis IX.—Discussion à ce sujet.—Progrès des institutions politiques en Flandre.—*Keure* octroyée par Jeanne et Thomas à la châtellenie de Bourbourg, à celle de Furnes et à la terre de Berghes-Saint-Winoc.—Guerre en Brabant.—Le comte Thomas prend la ville de Bruxelles et fait prisonnier le duc de Brabant.—Guerre au comté de Namur.—Maladie de la comtesse Jeanne.—Elle se retire à l'abbaye de Marquette.—Sa résignation et sa piété.— Son testament.—Sa mort édifiante.

Des historiens ont dit, d'autres après eux ont répété que Jeanne n'avait jamais eu d'enfants. C'est une erreur. De son union avec Fernand, mais seulement lorsque ce prince fut délivré de sa captivité, naquit une fille qui eut nom Marie, sans doute en souvenance de sa grand'mère Marie de Champagne, la digne épouse de l'empereur Bauduin. Cette enfant, héritière de Flandre et de Hainaut, avait même été promise en mariage à Robert Ier, comte d'Artois, frère de saint Louis. Mais elle mourut trop jeune, le jour de Saint-Etienne, en août 1234[162]. Les consolations de la maternité manquaient même à celle qui jusque-là avait été privée de toutes les autres!

Une résignation pleine de douceur et de piété préside aux actes qui signalèrent le veuvage de la comtesse de Flandre. Ses premiers soins, après le trépas du comte Fernand, furent d'exécuter religieusement les dernières volontés de ce prince. Mais elle ne s'en tint pas là. Dans la seule année 1233, elle répandit tant de bienfaits sur les pauvres, les hôpitaux, les maisons religieuses, qu'il est aisé de reconnaître là les effets d'une profonde sollicitude pour la mémoire de Fernand. L'expression de cet amour se retrouve à chaque instant dans les actes nombreux que renferment nos archives; et quant aux preuves des pieuses libéralités dont nous parlons, il faut aller les demander, car, sans doute, elles y sont vivantes encore, aux hôpitaux d'Ypres, d'Audenarde, de Saint-Jean à Bruges, de Notre-Dame à Gand, de Saint-Sauveur à Lille, de Saint-Antoine à Paris, à la Maladrerie de Lille dite de Canteleu; aux abbayes de Saint-Aubert à Cambrai, de Marquette; à l'église

Notre-Dame de Boulogne, à l'église des Frères Mineurs de Valenciennes, ces vieux compagnons de guerre de l'empereur Bauduin[163].

Ces œuvres pies n'empêchaient pas Jeanne de se préoccuper toujours des intérêts politiques de ses sujets, de travailler à leur bien-être matériel et moral. Bientôt nous la verrons, marchant d'un pas plus ferme vers ce but, qu'elle s'efforçait néanmoins d'atteindre sans cesse, consacrer les derniers temps de sa vie à réformer d'une manière plus complète et plus générale la constitution du pays. Elle eût sans doute fait plus encore à cette époque, sans les fléaux qui vinrent frapper son peuple en 1234. Le premier jour de janvier, il gela si fort que les blés furent glacés. La disette de grains amena une horrible famine. Les hommes broutaient, dit-on, l'herbe des champs comme les bêtes; enfin, pour surcroît de malheur, la peste décima de nouveau la Flandre et le Hainaut, et se répandit même en France[164].

L'éducation de la jeunesse, dont le gouvernement civil paraît s'être peu occupé en Flandre avant le XVᵉ siècle, fut aussi l'objet de ses soins, à en juger par un décret qu'en 1234 elle donna en faveur des écoles de Sainte-Pharaïlde à Gand.

En 1235, la comtesse Jeanne octroie à la ville de Lille une nouvelle loi échevinale et permet à ses habitants d'ériger une halle; ce qui ne contribuera pas peu à développer parmi eux l'instinct des transactions industrielles et commerciales, germe si fécond de leur prospérité future[165]. Enfin l'année suivante, au sein de cette même cité pour laquelle elle avait déjà tant fait, elle fonde et dote de grands biens un hospice appelé encore de nos jours l'*hôpital Comtesse*. Le portrait de la fondatrice est là qui rappellerait à chacun, si on pouvait jamais l'oublier, que depuis six cents ans les pauvres infirmes de Lille doivent à la comtesse Jeanne un asile, du pain et des consolations pour le reste de leurs jours[166].

En même temps, la comtesse, dont la vigilance et les soins ne se ralentissaient pas un seul instant, s'occupait du règlement des affaires intérieures de sa maison, fixait d'une façon plus régulière les charges et prérogatives de quelques grands-officiers, tels que le chancelier héréditaire de Flandre et le bouteiller de Hainaut.

Les Flamands et les Haynuiers voyaient avec peine que leur souveraine n'eût pas d'héritier direct; les barons et les communes des deux comtés désiraient vivement qu'elle se remariât.

Marguerite de Provence, la jeune épouse du roi saint Louis, avait quinze oncles et tantes dans la seule maison de Savoie. Elle jeta les yeux sur un prince de cette nombreuse et patriarcale famille pour en faire l'époux de Jeanne de Constantinople. Il s'appelait Thomas, comme son père Thomas I, comte de Savoie. C'était un homme de trente-sept ans, d'une belle prestance[167], et, à défaut d'une grande fortune, rempli de solides qualités d'esprit et de cœur. Dès son jeune âge, il s'était livré à l'étude des lettres, car on le destinait à l'Eglise. Cinq de ses frères étaient déjà dans les ordres. Lui-même, paraît-il, avait inutilement prétendu à l'évêché de Lausanne et à l'archevêché de Lyon. Quoi qu'il en soit, ce prince était regardé comme un noble et brave chevalier, digne d'unir sa destinée à celle d'une femme que tant de malheurs et de vertus plaçaient si haut dans l'estime de ses contemporains.

Le mariage fut célébré en octobre 1236, sous les auspices du roi et de la reine de France. C'est ainsi que Jeanne devint, par alliance, la tante de saint Louis. A l'occasion de cette union, Marguerite, sœur de la comtesse et son héritière présomptive, consentit qu'une pension viagère de six mille livres monnaie d'Artois, à percevoir sur les domaines de Flandre et sur le tonlieu de Mons, fût attribuée au comte pour le cas où Jeanne mourrait sans progéniture et avant son mari. C'était un revenu qui équivaudrait aujourd'hui à cinq cent mille francs environ. Plus tard, lorsque Marguerite eut succédé à sa sœur, elle racheta cette rente moyennant soixante mille livres.

Au mois de décembre 1237, Thomas et Jeanne allèrent à Compiègne pour rendre hommage au roi Louis IX. Là, s'éleva une difficulté. Le roi prétendit que le comte devait jurer d'observer le traité de Melun, avant de faire hommage de la Flandre. Le comte disait, au contraire, et il avait raison, qu'il ne devait et ne pouvait rien promettre avant d'avoir, au préalable, satisfait à l'observance d'une formalité essentielle de la constitution féodale; que, tant qu'il n'était reconnu pour comte de Flandre, il ne pouvait, à l'égard du roi, s'engager en cette qualité. Ce différend fut remis à l'arbitrage de trois pairs du royaume, Anselme, évêque de Laon, Robert, évêque de Langres, et Nicolas, évêque de Noyon, qui statuèrent en faveur du comte. Il est à remarquer qu'en prêtant foi et hommage, Thomas et Jeanne donnèrent au roi les sûretés exorbitantes réclamées par le traité primitif de Melun, du mois d'avril 1225, tout en jurant de ne jamais revenir sur ce qui s'était passé antérieurement à la paix de 1226[168]. Mais tout cela n'était plus que de forme et ne tirait pas aux mêmes conséquences qu'en 1225, où il y avait un comte de Flandre à faire sortir de prison et une somme de cinquante mille livres à payer au roi. Ce que Louis IX voulait, c'était de déterminer les limites de son autorité comme suzerain à l'égard des comtes de Flandre, et surtout de prévenir les envahissements du vassal le plus puissant et le plus à craindre qu'allait bientôt avoir la couronne de France. Saint Louis, comme ses prédécesseurs, en avait eu le pressentiment.

Thomas de Savoie venait à peine d'être reconnu par les barons et les communes de Flandre et de Hainaut, en qualité de souverain des deux comtés, ou, pour mieux dire, de *bail et mainbour*, suivant le protocole du temps, lorsque l'occasion se présenta pour lui d'appeler aux armes les hommes de guerre de sa nouvelle patrie. Guillaume de Savoie, son frère, élu évêque de

Liège, était alors en butte aux agressions violentes de Waleran, duc de Limbourg. Thomas s'avança pour porter secours au prélat; mais Waleran n'attendit pas que le comte de Flandre fût arrivé pour faire sa paix, et la chose en resta là.

Il n'y eut pas d'autres expéditions guerrières en Flandre jusqu'en 1242. La paix y régna, sans être troublée par aucune espèce d'événements fâcheux. Cette période de six ans de calme non interrompu permit à Jeanne et à son mari de s'occuper efficacement des réformes politiques que réclamaient la constitution du pays et les progrès sociaux.

Nous avons déjà dit que le Hainaut devait à Bauduin IX, père de la comtesse, des lois générales dont il fit jurer l'observance par les nobles du pays, lois qui peuvent être regardées comme la base du droit public, civil et criminel de ce pays. Jeanne n'eut donc pas à refaire pour le Hainaut ce qui était déjà fait. Aussi ne s'occupa-t-elle que des villes flamandes, qui, du reste, sous tous les rapports, étaient aussi les plus importantes. Comme on l'a vu plus haut, Gand, Bruges, Ypres, Lille, Douai, Seclin, etc., avaient déjà leurs chartes et leurs libertés municipales. De 1239 à 1241, elle confirma, de concert avec le comte Thomas, son époux, les privilèges précédemment accordés à la ville de Damme; lui en concéda de nouveaux, ainsi qu'à la ville de Caprick; réforma l'échevinage de Bruges[169], et donna en juillet 1240, à la châtellenie de Bourbourg, à celle de Furnes, et à la terre de Berghes-Saint-Winoc, une *keure* remarquable, contenant toutes les dispositions de police applicables aux mœurs et aux besoins du temps[170].

Nous l'avons dit déjà, ces keures, ces chartes d'affranchissement ne furent pas le résultat de l'insurrection. On ne trouve aucune trace en Flandre, à cette époque, de commotions populaires dont le but aurait été d'obtenir par la force un accroissement de privilèges. Il n'en était pas besoin. En affranchissant les communes, les comtes faisaient tout à la fois preuve de justice et acte de bonne politique. Pour ne parler que de Jeanne, elle avait certes plus à se défier de la noblesse que de la bourgeoisie, comme le prouvent la présence de plusieurs barons flamands dans les rangs de l'armée royale à Bouvines, et l'intrigue dont le faux Bauduin n'avait été que le prétexte et l'instrument.

Cependant la santé de Jeanne, ébranlée par les secousses, les émotions de toute nature qu'elle avait subies durant le cours de sa vie, était fort gravement compromise. La comtesse se retira à l'abbaye de Marquette, qu'elle avait placée sous le vocable touchant de *Notre-Dame du Repos* et qu'elle affectionnait d'une façon toute singulière; où se trouvait déjà le tombeau de son malheureux époux, le comte Fernand, et où elle se plaisait à résider dans les dernières années de son règne. Elle y avait même fait bâtir un hôtel qu'on voyait encore au XVIIᵉ siècle; c'est là qu'elle allait se reposer des affaires et se livrer à la prière et à la méditation au milieu des religieuses dont elle avait maintes fois ambitionné l'existence pleine de calme et de bonheur. Jeanne envisagea, sans crainte comme sans regrets, la mort qui s'approchait. Lorsque, jetant un regard vers le passé, elle interrogea les souvenirs de sa vie publique et privée, rien ne dut venir troubler sa conscience, car c'est avec une confiante tranquillité d'âme qu'elle attendit le moment suprême.

Lorsque les *mires* et *fisiciens*, comme s'appelaient alors les médecins, lui eurent, d'après ses ordres, déclaré que le mal était sans remède, elle se fit revêtir d'un habit de novice et transporter dans l'intérieur du couvent[171]. Elle vécut encore quelque temps de la sorte, priant et méditant sous la robe de bure, au milieu de la communauté qu'elle édifiait par son exemple. Plus humble que la dernière des humbles filles de ce monastère, la comtesse de Flandre et de Hainaut ne faisait rien sans l'autorisation de l'abbesse. Elle n'ouvrait pas même la bouche pour parler sans permission, au dire des chroniques auxquelles nous empruntons ces détails[172].

Cependant, la maladie faisant des progrès rapides, la comtesse dicta son testament en présence d'une noble assemblée. Le comte Thomas, son mari, et Marguerite, sa sœur, étaient là près de son lit, et, à côté d'eux, le prieur de l'ordre des Frères Prêcheurs de Valenciennes, avec trois religieux du même ordre, Pierre d'Esquermes, frère Michel et frère Henri du Quesnoi; le prévôt de Marchiennes, le doyen de la Salle, le seigneur Fastré de Ligne, le seigneur Watier de Lens et plusieurs autres barons. Une seule pensée de justice et de charité présida à cet acte suprême, que nous croyons devoir reproduire en substance:

«Au nom du Père et du Fils et de l'Esprit-Saint, ainsi soit-il. Moi, Jeanne, comtesse de Flandre et de Hainaut, pour le salut de mon âme et de celles de mes prédécesseurs et successeurs, je fais mon testament sous la forme ci-après, et je veux qu'il ait force comme testament, sinon, comme codicille, sinon, comme expression de la dernière volonté d'une mourante.— J'entends, par-dessus tout, que mes dettes, de quelque nature qu'elles puissent être, soient pleinement acquittées. Si j'ai injustement occupé l'héritage d'autrui, ou si j'ai détenu des biens pris indûment par mes prédécesseurs, je veux qu'ils soient rendus et restitués partout où ils se trouveront, et je donne pouvoir à mes exécuteurs testamentaires, plus bas nommés, de remettre en leur possession ceux qui auraient des droits à une restitution; je veux aussi qu'ils soient entièrement satisfaits de tous dommages et intérêts.—(Suivent les recommandations et les dispositions les plus scrupuleuses pour que personne n'ait rien à réclamer contre sa mémoire et celle de ses ancêtres. Elle règle ensuite la situation de tous ses serviteurs, en assurant à chacun une honorable aisance. Enfin elle termine en ces termes):—Je veux en outre et j'ordonne que tous mes joyaux, mes reliques, mes livres, mes vases d'or et d'argent, tous les objets et ornements de ma chapelle, tout ce qui sert à ma table, à ma chambre à coucher, à ma cuisine, et autres choses affectées spécialement à mon service, soient remis entre les mains et à la disposition de mes exécuteurs testamentaires, afin qu'ils en usent selon leur conscience pour le bien de mon âme, etc.—Libre d'esprit, jouissant du sain usage de ma raison, j'ai ordonné ce qui vient d'être dit, et j'ai constitué et je constitue expressément pour les exécuteurs de mon testament mes révérends seigneurs en Jésus-Christ, les évêques de Cambrai et de Tournai quels qu'ils soient à l'heure de ma mort, et vénérables et discrètes personnes, le seigneur Watier, abbé de Saint-Jean en Valenciennes; maître Gérard, écolâtre de Cambrai, et maître Eloi de Bruges, prévôt de Saint-Pierre de Douai, etc.—Je veux que ces mêmes exécuteurs testamentaires procèdent pour les restitutions et l'acquit de mes legs, suivant droit et justice et de la manière qui sera la plus profitable au salut de mon âme. Ainsi, qu'ils satisfassent tout d'abord les pauvres, les indigents, et ceux envers lesquels je suis le plus obligée. L'illustre et très cher seigneur, mon époux Thomas, comte de Flandre et de Hainaut, et ma très chère sœur Marguerite, dame de Dampierre, ont promis, de bonne foi, d'observer fermement et inviolablement toutes les dispositions susdites.—Enfin, je supplie ma très chère sœur, mes exécuteurs testamentaires, tous mes fidèles et mes amis, d'agir avec telle diligence et promptitude pour l'exécution de ma volonté que mon âme ne puisse souffrir dommage d'aucun retard.—(Suivent les noms des témoins.)—Fait en l'an du Seigneur 1244, le second dimanche de l'Avent[173].»

Le lendemain 5 décembre, le mal empira de telle sorte que l'on comprit qu'il était sans remède et que la fin approchait. La princesse mourante gisait dans la *grande salle de pierre* de l'hôtel qu'elle s'était fait bâtir dans l'enceinte du monastère. Autour de son lit de douleur se tenaient éplorés le comte de Flandre, son époux, et sa sœur Marguerite de Constantinople, à laquelle elle avait depuis longtemps pardonné le chagrin que lui avait causé sa fatale union avec Bouchard d'Avesnes. Là se trouvaient aussi tous les grands officiers de la cour de Flandre et de Hainaut, et les plus nobles personnages des deux comtés, parmi lesquels se voyaient encore de vieux compagnons d'armes de l'empereur Baudouin qui avaient survécu aux sièges de Zara et de Constantinople, comme au combat désastreux où leur seigneur avait si misérablement succombé; puis les plus jeunes barons que leur conduite héroïque dans les guerres de Flandre et à la bataille de Bouvines avait à jamais illustrés; enfin les prélats et les religieux qui entouraient de leurs suprêmes consolations celle qui allait quitter sans regrets sans doute cette terre où elle avait tant souffert. Elle s'éteignit au milieu des sanglots de cette noble assistance laquelle, au moment où elle allait rendre l'âme, lui eût rappelé un demi-siècle de grandes et tristes choses, si déjà toutes ses pensées et toutes ses aspirations n'eussent été pour Dieu seul[174].

Le corps de Jeanne de Constantinople fut, d'après sa volonté, déposé dans un tombeau de marbre qu'elle avait fait ériger au milieu du chœur des dames du monastère de Marquette, à côté de celui du comte Fernand, son premier mari[175]. «Si la voix du peuple est la voix de Dieu, dit un vieux religieux de l'abbaye de Loos, il ne faut pas doubter qu'elle ne soit sainte, ni s'estonner que le ménologe de Cisteaux l'ait mise dans le cathalogue des bienheureux de l'ordre à la date du 5 décembre, jour de son trépas[176].»

La mort si exemplaire et si chrétienne de la fille de l'empereur Bauduin, de celle qui eut l'insigne honneur d'avoir Charlemagne pour ancêtre et Charles-Quint pour arrière-neveu et héritier, avait été le digne couronnement de sa vie.

Après tant d'années d'épreuves de toute nature supportées avec un courage qui ne faiblit jamais, cette femme vraiment forte voulut se détacher entièrement des choses de la terre et demander à Dieu seul le repos que le monde et les grandeurs lui avaient toujours refusé. Elle avait passé en faisant le bien, et c'est la seule gloire que pût ambitionner sa belle âme.

CONCLUSION

Nous avons rappelé tout ce qu'à travers les vicissitudes d'une existence agitée s'il en fut jamais, la comtesse Jeanne de Constantinople avait fait pour le bonheur des peuples dont la destinée lui était confiée. L'extension qu'avec une rare intelligence des besoins de son temps elle donna spontanément aux libertés communales tout en réprimant les velléités tyranniques des châtelains féodaux, les encouragements que l'éducation publique, le commerce et l'industrie reçurent de sa sollicitude éclairée, développèrent, dans une large proportion, les éléments de civilisation et de progrès économique qui, après la féconde période des croisades, préparèrent pour la Flandre un avenir de grandeur et de prospérité sans exemple.

Jeanne, on l'a vu, avait été le *palladium* de la nationalité flamande après Bouvines. Durant la captivité de Fernand et le veuvage anticipé auquel elle était condamnée, elle accomplit ses devoirs de souveraine et d'épouse avec une sagesse et un dévouement dont témoignent tous les documents de l'histoire et qu'on ne saurait trop admirer. Soit qu'il s'agisse de réparer les maux de la guerre, de travailler à la délivrance de son époux, de lutter contre d'amers chagrins domestiques ou contre les événements aussi étranges qu'imprévus qui vinrent ensuite compromettre non plus seulement son repos, mais encore son honneur et son pouvoir, son inébranlable courage la maintient au niveau de la lourde tâche qui lui est imposée. Voilà pour le rôle politique.

Il importe, pour conclure, d'en résumer rapidement les résultats.

Longtemps comprimées par l'anarchie féodale des siècles précédents, les provinces du nord des Gaules étaient entrées, au début du treizième, dans l'ère nouvelle que lui avaient ouverte les franchises municipales octroyées surtout par l'empereur Bauduin et son auguste fille. Leur industrieuse activité, secondée par une entière liberté et de précieux privilèges, se trouvait encore favorisée par les débouchés inconnus jusque-là que les expéditions d'Orient avaient créés sur tous les points du Levant, si longtemps inexplorés, et où pouvaient aborder désormais les flottes parties des rivages de l'Océan du Nord pour s'y livrer à un commerce d'échange qui ne tarda pas à prendre, au profit de la fortune publique, d'incalculables proportions. Sous la comtesse Jeanne, les marchés et les foires des villes tudesques ou wallonnes de sa domination étaient déjà célèbres entre tous. Nous avons retracé ailleurs le tableau de ce mouvement prodigieux de progrès matériel au niveau duquel s'élevait en même temps le progrès intellectuel et moral des anciennes provinces de la Gaule Belgique[177]. En effet, une véritable révolution se manifeste alors dans les esprits. De grands penseurs, de profonds philosophes se révèlent dans la personne des Simon et des Godefroi de Tournai, des Alain de Lille, le *Docteur universel*, et Henri de Gand, le *Docteur solennel*.—La langue romane, fille du latin dégénéré et mère de notre français moderne, se transforme et s'épure. Pour la première fois, nous l'avons dit, les actes publics se rédigent en cette langue. De toutes parts les chroniqueurs et surtout les poètes, car la poésie est la première forme que prend toute littérature naissante, produisent des œuvres qui, pour n'avoir pas eu de modèles, n'eurent point d'imitateurs et conservent une originalité qui en fait le charme principal. L'épopée, inspirée par les traditions chevaleresques, rappelle les hauts faits du cycle de Charlemagne, de la Table ronde ou des Croisades.—Tandis que, pour rendre ses légendes plus populaires, Philippe Mouskes les assujettit au rythme, Gandor de Douai écrit le roman de la *Cour de Charlemagne*, d'*Anseïs de Carthage*, et achève le *Chevalier au Cygne*, consacré aux exploits de Godefroi de Bouillon; Gilbert de Montreuil chante *Gérard de Nevers*; Gautier d'Arras, *Eracle l'Empereur*; Guillaume de Bapaume, *Guillaume d'Orange*. Quantité d'autres chansons de geste d'auteurs inconnus, mais appartenant aux provinces du Nord, émerveillaient alors aussi les esprits, entre autres le roman fameux de *Raoul de Cambrai*, l'un des plus anciens et des plus remarquables monuments de notre littérature nationale. Mais les trouvères ne s'en tiennent pas aux seules compositions épiques. Aux longs poèmes succèdent les chants des ménestrels, les contes, les fabliaux, les satires. Toute une pléiade de joyeux trouvères surgit sur tous les points du pays: les Adam le Bossu et les Jean Bodel d'Arras, les Jacquemars Giélée de Lille, les Mahieu de Gand, les Gilbert de Cambrai, les Jacques de Cysoing, les Durand de Douai, les Audefroi le Bâtard, et une infinité d'autres poètes au milieu desquels figurent de grands seigneurs, tels que Quènes de Béthune, entre autres, qui avait accompagné l'empereur Bauduin à la croisade, et dont les vers sont des modèles de grâce et de sensibilité.—Ne sait-on pas aussi, et nous l'avons dit déjà, que le père infortuné de la comtesse Jeanne cultivait lui-même la poésie, léguant ainsi à son héritière la tradition et le goût des travaux de l'esprit, qu'elle encouragea, on l'a vu plus haut, au milieu des tristes préoccupations qui l'accablaient?

Sous le rapport des arts, la Flandre devait, dans un prochain avenir, occuper un rang célèbre dans l'histoire, et donner à la postérité une école fameuse entre toutes. Déjà, sous la comtesse Jeanne, le goût des grandes et belles œuvres inspirées par le sentiment religieux et encouragé par la munificence souveraine, se manifeste par l'érection d'une multitude de monuments auxquels le style ogival prête déjà ses inimitables créations, en attendant que les basiliques somptueuses dont la Flandre se couvre, s'enrichissent de ces chefs-d'œuvre sculptés et peints qui devaient en faire pour la postérité autant d'incomparables musées.

A travers les orages qui l'ont trop souvent assombri, le règne de Jeanne, si réparateur et si sage, doit donc encore être admiré dans ses conséquences, au point de vue de ce mouvement civilisateur que nous venons d'indiquer sommairement et auquel il a imprimé un incontestable et large essor.

Et maintenant, si, après avoir envisagé la souveraine dans toutes les phases de son existence, nous reportons une dernière fois nos regards sur la femme prédestinée qui, par ses vertus publiques et privées, mérita à tant d'égards d'être appelée depuis six cents ans la *bonne comtesse*, il nous est permis de dire que, parmi les grandes figures dont sont illustrées les annales flamandes, il n'en est pas qui ait mieux mérité la reconnaissante vénération des contemporains et de la postérité. C'est un hommage que ne cessera de lui rendre l'impartiale histoire.

FIN

NOTES

[1] Les historiens du Hainaut disent que ce fut en 1188, mais l'annaliste Meyer donne la date de 1190 qui paraît la plus certaine.

[2] En l'église de Saint-Jean de Valenciennes, comme le prouve une charte rapportée par Doutreman, dans son *Hist. de Valenciennes.*

[3] *Vita B. Johannis, primi abbatis Cantipratensis, auctore Thoma Cantipratensi,* l. III, c. 4, manuscrit de la bibliothèque de M. A. Le Glay.

[4] Villeharduin, *De la Conquête de Constantinople,* édit. P. Paris, p. 16.

[5] Quia debitum carnis exsolverat cum in carcere teneretur.—*Gesta Innocent. ap. Baluze,* p. 69.—Baron. Ann. XX, p. 214.

[6] J. de Guise.—*Ann. Hannoniæ,* XIV, 4.

[7] J. de Guise, *Ann. Hann.* XIV, 6.

[8] J. de Guise, *Ann. Hann.* XIV, 6.

[9] *Art de vérifier les dates,* XIV, 122, d'après Albéric des Trois-Fontaines.

[10] Vincent de Beauvais, ap. J. de Guise, XIV, 7.—*Chron. de Flandre,* inédite, *manuscrit de la Bibl. nat.* n° 8380, fol. 31.

[11] *Li estore des ducs de Normandie et des rois d'Engleterre,* fol. 163 v°, Ire col.

[12] *Ann. Hann.,* XIV, 8.

[13] Les sceaux des diverses chartes conservées dans nos archives.

[14] Archives de Flandre à Lille, Ier *cartul. d'Artois,* pièce 193. Cet acte a été imprimé plusieurs fois.

[15] V. Rymer, *Fœdera,* nova edit. Londini, 1816, I, 105, 107.

[16] *Philippide,* chants IX et X.

[17] *Philippide,* chants IX et X.

[18] *Li estore des ducs de Normandie,* fol. 163.

[19] *Li estore des ducs de Normandie,* fol. 163.

[20] *Ibid.* 164.

[21] *Li estore des ducs de Normandie,* fol. 164.

[22] *Li estore des ducs de Normandie,* fol. 164.

[23] *Les anciennes Chroniques de Flandre, manuscrit de la Bibl. nat.* n° 8380, fol. 32.

[24] *Li estore des ducs de Normandie*, fol. 164, 2ᵉ col.

[25] *Ibid.*

[26] *Philippide*, chant IX.

[27] *Ibid.* 165.

[28] *Li estore des ducs de Normandie*, fol. 165. V. —Jacques de Guise, XIV, 80.

[29] *Li estore des ducs de Normandie*, fol. 106.

[30] *Ibid.*

[31] Jacques de Guise, XIV, 80.

[32] Jacques de Guise, XIV, 88.

[33] *Ibid.*

[34] *Li estore des ducs de Normandie*, fol. 166 vᵒ.

[35] Jacques de Guise, XIV, 90.

[36] *Philippide*, chant IX.

[37] *Philippide*, chant IX.

[38] Jacques de Guise, XIV, 92.—*Li estore des ducs de Normandie*, fol. 167.

[39] Jacques de Guise, XIV, 98.

[40] *Hist. regum Franc. ab origine gentis usque ad ann.* 1214, ap. Bouquet, XVIII, 427.—*Philippide*, chant X.

[41] *Vinc. de B.* ap. J. de Guise, IV, 134.

[42] *Philippide*, chant X.

[43] *Vinc. de B.* ap. J. de Guise, IV, 130.

[44] *Ibid.*

[45] *Chron. de Flandre*, inédite, manuscrit de la Bibl. nat. nᵒ 8480, fol. 161.

[46] *Les Gr. Chron. de F.*, édit. P. Paris, IV. 169.

[47] *Philippide*, chant X.

[48] *Vinc. de B.* ap. J. de Guise, XIV, 144.

[49] *Chronique de Rains*, édit. L. Paris, 148.

[50] *Chron. de France*, I, 71.—*Vinc. de B.*, ap. J. de G., XIV, 132.

[51] *Chron. inéd. de Flandre précitée*, fol. 164.

[52] *Philippide*, chant X.

[53] Ap. Bouquet, XVII, 407.

[54] *Vinc. de B.* ap. J. de Guise, XIV, 136.

[55] *Vinc. de B.* ap. J. de Guise, XIV, 136.

[56] *Ibid.*

[57] Ps. 143.

[58] Ps. 67.

[59] Ps. 20.

[60] *Philippide*, chant X.

[61] *Vinc. de B.* ap. J. de Guise, XIV, 136.

[62] *Philippide*, chant XI.

[63] *Philippide*, chant XI.

[64] *Vinc. de B.* ap. J. de Guise, XIV, 142.

[65] *Philippide*, chant XI.

[66] *Vinc. de B.* ap. J. de Guise, XIV, 146.

[67] *Philippide*, chant XI.

[68] *Philippide*, chant XI.

[69] *Ibid.*

[70] *Vinc. de B.* ap. J. de Guise, XIV, 150.—*Les Gr. Chron. de Fr.* édit. P. Paris, IV, 184.

[71] *Chronique de Rains*, p. 153.

[72] *Vinc. de B.* ap. J. de Guise, XIV, 150.—*Chron. de Flandre inéd. loco citato.*

[73] *Les Gr. Chron. de Fr.* édit. P. Paris, IV, 186.

[74] *Les Gr. Chron. de Fr.* édit. P. Paris, IV, 186.

[75] *Ibid.* 189.

[76] *Les Gr. Chron. de Fr.* éd. P. Paris, IV. 189.

[77] *Vinc. de B.* ap. J. de Guise, XIV, 156.

[78] Wilh. Brit. *Philippide*, chant XI.

[79] Vincent de Beauvais, ap. J. de Guise, XIV, 162.

[80] *Les Gr. chron. de Fr.* IV, 193.

[81] *Les Gr. chron. de Fr.* IV, 196.

[82] *Vinc. de B.* ap. J. de G. XIV, 164.

[83] Guillaume Guiart, *Royaux lignages*, I, 309.

[84] *Les Gr. chron. de Fr.* IV, 197.

[85] *Ibid.* 194.

[86] Jacques de Guise, XIV, 168.

[87] Jacques de Guise, *passim.*

[88] *Acte du 24 octobre* 1214, imprimé dans Baluze, *Miscell.* VII, 205 *et alias.*

[89] *Ann. Hann.*, XIV, 168.

[90] Archives de la Flandre, *passim.*

[91] Archives de la Flandre, *passim.*

[92] Jacques de Guise, XIV, 286.

[93] Diplôme impérial de 1220. Archiv. de Flandre, *Cartulaire des empereurs,* pièce I.

[94] Original en parchemin, scellé.—Archiv. de Flandre.

[95] Archives de Flandre à Lille, Ier *Cart. de Flandre*, pièce 466. —Imprimé dans le *Recueil des ordonnances du Louvre*, sous la date de 1280, IV, 320.

[96] Arch. de Fl. orig. parch. scellé (28 octobre 1218).

[97] *Ibid.* 8e *Cart. de Flandre*, pièce 2.

[98] Arch. de Fl. orig. parch. scellé. Sous un *vidimus* du 14 novembre 1365.

[99] *Ibid.* Orig. parch. scellé (22 novembre).

[100] J. de Guise, XIV, 12.

[101] J. de Guise, XIV, 12.

[102] *Chronique flamande*, reproduite par Jacques de Guise, XIV, p. 15.

[103] Jacques de Guise, XIV, 14.

[104] Jacques de Guise, XIV, 21.

[105] Jacques de Guise, XIV, 25.

[106] Déposition de Hugues d'Ath dans l'enquête de 1249 sur la légitimité des enfants de Bouchard et de Marguerite.

[107] Charte de 1214, le cinquième jour après Pâques, rapportée par Jacques de Guise.

[108] Jacques de Guise, XIV, 170.

[109] *Ibid.*

[110] *Ibid. passim.*

[111] Jacques de Guise, XIV, 172.

[112] Les évêques d'Arras, Beauvais, Senlis, Cambrai, Châlons, Laon, Noyon, Térouane et Tournai.

[113] Arch. de Flandre. Orig. parch.

[114] *Epist. Innoc. III. Conc. gener. XI.*

[115] Déposition de Royer du Nouvion, dit de Sains, écuyer âgé de cinquante ans.— Enquête précitée.

[116] Enquête précitée.—Dépositions de tous les témoins entendus.—Ph. Mouskes, *Ch. rimée, v. 23243.*

[117] Déposition de Hugues d'Ath, âgé de soixante ans.—Enquête précitée.

[118] Enquête précitée, *passim.*

[119] Déposition de Godefroi de Longchamp, chevalier.—Enquête précitée.

[120] Cette bulle et celles dont nous avons donné ci-dessus la traduction, sont conservées aux archives générales à Lille (Chambre des comptes).

[121] Premier Cartulaire de Hainaut, *pièce* 14.

[122] Enquête précitée.

[123] Ph. Mouskes, *Chron. rimée, v. 23290.*

[124] Voir un acte de 1234 reposant aux Archives de Flandre, à Lille.

[125] Bouchard avait eu, nous l'avons dit, trois enfants de Marguerite de Constantinople: 1° Jean d'Avesnes, qui mourut la veille de Noël 1257; 2° Bauduin d'Avesnes, seigneur de Beaumont, mort en 1259; 3° Felicitas d'Avesnes, laquelle trépassa l'an 1282. Les deux premiers furent enterrés au milieu du chœur de l'église du couvent des Frères Prêcheurs, dit de Saint-Paul, à Valenciennes. Leur sœur Felicitas reçut sa sépulture au moustier de le Ture. D'Outreman rapporte tout au long les épitaphes de la maison d'Avesnes, lesquelles de son temps existaient encore. Voir son *Histoire de Valenciennes*, 436.

[126] Jacques de Guise, XIV, 306.

[127] Jacques de Guise, XIV, 308.

[128] Jacques de Guise, XIV, 310.

[129] Jacques de Guise, XIV, 312.

[130] Jacques de Guise, XIV, 314.

[131] *Chron. de Flandre*, manuscrit de la Bibl. nat. nᵒ 8380, fol. LIV Vᵒ, 2ᵉ col.

[132] *Ibid.* LX Vᵒ, 2ᵉ col.—*Chron. Alb. stad.* 205.

[133] *Chron. rimée, vers 24851.*

[134] *Ibid. vers 24823.*

[135] Doutreman, *Hist. de Valenciennes.*

[136] *Chron. de Flandre*, fol. 61, 2ᵉ col.

[137] Rymer, *Fœdera*, I, 277.

[138] Ph. Mouskes, *vers 24895.*

[139] *Chronique de Bauduin d'Avesnes*, manuscrit de la Bibl. de Bourgogne, nᵒ 10233-36, citée par M. le baron de Reiffenberg, t. X, nᵒ 7, des bulletins de l'Acad. royale de Bruxelles.

[140] *Chron. de Flandre*, manuscrit de la Bibl. nat. nᵒ 8380, fol. 63.

[141] *Chron. de Flandre*, manuscrit de la Bibl. nat. nᵒ 8380, fol. 63.

[142] *Ibid.*

[143] P. Mouskes, *v. 24961.*

[144] P. Mouskes, *v. 25009.*

[145] J. de Guise, XIV, 342.

[146] *Chron. de Fl.* fol. 64, vᵒ, 2ᵉ col.

[147] P. Mouskes, *v. 25258.*

[148] *Chron. de Fl.* fol. 65.

[149] *Chron. de Flandre*, inédite, nᵒ 8380, précitée, fᵒ 63.

[150] Archives de la ville de Lille, carton I, pièce I.—*Original parchemin dont le scel est rompu.*

[151] *Chron. de Flandre, manuscrit de la Bibl. nat.*, nᵒ 8380, fol. 58.

[152] Jacques de Guise, XIV, 290.

[153] Galland, *Mémoires pour l'Histoire de Navarre et de Flandre.* Preuves 145 et 146.

[154] Ph. Mouskes, *v. 27495.*

[155] *Chroniques de Flandre, manuscrit de la Bibl. nat.* n° 8380, fol. 65 v°, 2ᵉ col.

[156] *Chronique précitée*, ibid.

[157] Archives de Flandre, *Acte du 3 juin 1229*, copie.

[158] *Ibid. Acte du 1ᵉʳ novembre-1232*, orig. scellé.

[159] Jacques de Guise, XIV, 468.

[160] Archives de Flandre, orig. scellé.

[161] Archives de la Flandre, acte de 1230.

[162] Archives de Flandre.

[163] Archives de Flandre, *passim.*

[164] *Chronicon Massœi*, lib. XVII.

[165] Archives de Flandre, *actes du mois de mai 1235.*—Cop. parch.

[166] *Ibid. mars et septembre 1236.*

[167] Ph. Mouskes, *v. 29442.*

[168] Archives de Flandre, *Acte du mois de décembre*, 1237. Orig. parch. scellé.

[169] Archives de Flandre *passim.*

[170] La keure, dit M. Warnkœnig dans son *Histoire des institutions politiques de la Flandre*, II, 298, contient, comme la loi des XII tables à Rome, les règles fondamentales du droit public et criminel de la ville, et de son organisation judiciaire.

[171] Archives de Flandre, *manuscrit sur l'abbaye de Marquette* (de la fin du XIIIᵉ siècle), fol. 9.

[172] Archives de Flandre, *manuscrit sur l'abbaye de Marquette* (de la fin du XIIIᵉ siècle), fol. 9.

[173] Archives de Flandre, *manuscrit de l'abbaye de Marquette. Acte du 4 décembre 1244.* Orig. parch. scellé.

[174] Après la mort de la princesse, Thomas de Savoie retourna dans son pays, où plus tard il épousa Béatrice de Fiesque. Marguerite de Constantinople, héritière de sa sœur, prit immédiatement possession des comtés de Flandre et de Hainaut.

[175] «Il y avait alentour diverses effigies relevées en bosse qui furent toutes défigurées par les hérétiques lorsqu'ils pillèrent cette abbaye, en l'an 1566.» *Hist. de l'abbaye de N.-D. du Repos, à Marquette,* par dom Gouselaire.— Manuscrit de la Bibl. de Lille, coté BF. 23.

[176] D. Gouselaire, ouvrage précité.

[177] V. *Histoire des comtes de Flandre* et les *Flamands aux Croisades.*

Milton Keynes UK
Ingram Content Group UK Ltd.
UKHW011144220424
441551UK00008B/820